ATENÇÃO PLENA

MINDFULNESS

MARK WILLIAMS E DANNY PENMAN

ATENÇÃO PLENA

MINDFULNESS

COMO ENCONTRAR A PAZ EM UM MUNDO FRENÉTICO

SEXTANTE

Título original: *Mindfulness: a practical guide to finding peace in a frantic world*

tradução: Ivo Korytowski

preparo de originais: Alice Dias

revisão: Hermínia Totti, Jean Marcel Montassier e Renata Dib

projeto gráfico e diagramação: Valéria Teixeira

capa: Mariana Newlands

imagem de capa: Andy Roberts / Getty Images

impressão e acabamento: Lis Gráfica e Editora Ltda.

CIP-BRASIL. CATALOGAÇÃO NA PUBLICAÇÃO
SINDICATO NACIONAL DOS EDITORES DE LIVROS, RJ

W691a Williams, Mark
Atenção plena / Mark Williams, Danny Penman; tradução de
Ivo Korytowski; Rio de Janeiro: Sextante, 2015.
208 p.; 16 x 23 cm

Tradução de: Mindfulness: a practical guide to finding peace
in a frantic world
ISBN 978-85-431-0187-3
Acompanha CD

1. Meditação. I. Penman, Danny. II. Título.

CDD 299.93
15-19470 CDU 289.9

Rua Voluntários da Pátria, 45 – Gr. 1.404 – Botafogo
22270-000 – Rio de Janeiro – RJ
Tel.: (21) 2538-4100 – Fax: (21) 2286-9244
E-mail: atendimento@sextante.com.br
www.sextante.com.br

SUMÁRIO

PREFÁCIO DE JON KABAT-ZINN

Hoje em dia, muito se fala sobre a atenção plena, conceito também conhecido como *mindfulness*. E essa é uma ótima notícia, pois estamos profundamente carentes de um elemento imaterial em nossa vida. Às vezes temos a sensação de que o que está faltando, no fundo, somos nós próprios – nossa disposição para aproveitar a existência de forma plena, agindo como se ela realmente importasse, vivendo o único momento que temos de fato: o presente. Esta é uma intuição transformadora.

Nesse sentido, a atenção plena pode parecer uma boa ideia, mas é muito mais do que isso. Você pode pensar "Ah, sim, serei mais focado e menos crítico, e tudo ficará melhor. Por que não pensei nisso antes?". Acontece que somente pensar assim dificilmente traz mudanças objetivas. Para ser eficaz, a atenção plena requer um engajamento concreto. Outra maneira de explicar isso, como observam Mark Williams e Danny Penman neste livro, é que a atenção plena é, na verdade, uma *prática*. É um estilo de vida, e não apenas uma boa ideia, uma técnica inteligente ou uma moda passageira. É um conceito que data de milhares de anos e costuma ser citado como "o coração da meditação budista", embora sua essência seja universal.

A prática da atenção plena exerce uma influência poderosa sobre a saúde, o bem-estar e a felicidade, como atestam as evidências médicas e científicas apresentadas neste livro. Porém, por ser uma prática e não um conceito abstrato, seu cultivo é um processo, que se desenrola e se aprofunda com o tempo. É mais eficaz se você a assume como um compromisso sério consigo mesmo, o que exige persistência e disciplina, e, ao mesmo tempo, certa dose de despreocupação e leveza. Essa leveza, aliada a um envolvimento constante e profundo, é uma característica do treinamento da atenção plena em todas as suas diferentes formas.

É muito importante ter uma boa orientação ao longo desse caminho, pois muita coisa está em jogo: sua qualidade de vida, seus relacionamentos, seu bem-estar, seu equilíbrio mental, sua felicidade e sua postura diante das dificuldades. Tenho certeza de que as mãos experientes de Mark Williams e Danny Penman podem guiá-lo nesse processo. O programa que eles apresentam se apoia nos estudos sobre a redução do estresse e na terapia cognitiva, ambos com base na atenção plena. Ele está organizado como um plano de oito semanas para auxiliar todos aqueles que se importam em manter a saúde física e mental neste mundo frenético.

Gosto especialmente das sugestões simples que Mark e Danny oferecem para rompermos os hábitos e da maneira como eles revelam nossos padrões de pensamento e comportamento mais inconscientes.

Enquanto você se coloca nas mãos dos autores para ser orientado, está se colocando também nas próprias mãos, comprometendo-se a seguir as sugestões, a se envolver nas diferentes práticas de mudanças de hábitos e a prestar atenção ao que acontece quando começa a viver o agora. Esse compromisso é um ato radical de confiança e fé em si mesmo. O programa inspirador oferecido aqui, aliado a essa nova crença em sua capacidade de operar mudanças, pode ser a grande oportunidade de sua vida, uma chance de aprender a aproveitar cada momento de forma mais plena.

Mark Williams é meu colega de trabalho, coautor em alguns trabalhos e bom amigo há vários anos. Ele é um dos mais importantes pesquisadores do mundo no campo da atenção plena, e foi pioneiro no estudo e na divulgação de seus conceitos. Junto com John Teasdale e Zindel Segal, criou a terapia cognitiva com base na atenção plena, que tem ajudado muito na recuperação de pacientes vítimas de depressão. Também fundou o Centre for Mindfulness Research and Practice na Universidade de Bangodo e o Oxford Mindfulness Centre, dois grandes centros de pesquisa que estão na vanguarda do uso de intervenções clínicas com base nas técnicas de atenção plena.

Agora, ao lado do jornalista Danny Penman, Mark apresenta este guia prático sobre a atenção plena e seu cultivo. Espero que você obtenha grandes benefícios ao se dedicar a este programa e aceite o convite para descobrir como se relacionar de forma mais sábia e gratificante com sua preciosa vida.

Jon Kabat-Zinn
Boston, Massachusetts
Dezembro de 2010

CAPÍTULO UM

Correndo atrás da própria cauda

Você consegue se lembrar da última vez que esteve deitado na cama lutando contra seus pensamentos? Você queria que sua mente se acalmasse, apenas se *aquietasse*, para que pudesse adormecer. Mas nada funcionava. Cada vez que se forçava a não pensar, seus pensamentos explodiam com força renovada. Você dizia a si mesmo que não deveria se preocupar, mas subitamente descobria inúmeras novas preocupações. Virava de um lado para outro tentando encontrar uma posição mais confortável. Não adiantava. Conforme a noite avançava, sua força progressivamente se exauria, e você se sentia frágil e fracassado. Na hora que o despertador tocava, você estava exausto, mal-humorado e destruído.

Ao longo do dia seguinte, você tinha o problema oposto – queria se manter acordado, mas não conseguia parar de bocejar. Esforçava-se para se concentrar no trabalho, mas não conseguia. Seus olhos estavam vermelhos e inchados. Seu corpo inteiro doía e sua mente parecia vazia. Você fitava as pilhas de papéis em sua escrivaninha, esperando que alguma coisa, *qualquer coisa*, lhe desse energia para enfrentar o dia de trabalho. Nas reuniões, você mal conseguia manter os olhos abertos e contribuir com algo minimamente inteligente. Você se sentia cada vez mais ansioso e estressado.

Talvez isso seja comum em sua vida. Por isso escrevemos este livro: para ajudar você a encontrar a paz e o contentamento numa época frenética como a nossa. Ou melhor, a *redescobrir* a paz e o contentamento, pois existem profundas fontes de tranquilidade dentro de todos nós, embora estejamos confusos e cansados demais para perceber.

Sabemos que isso é verdade porque temos estudado esse assunto por mais de trinta anos na Universidade de Oxford e em outras instituições ao redor do mundo. Esse trabalho descobriu o segredo da felicidade sustentada e os meios de enfrentar a ansiedade, o estresse, a exaustão e até mesmo a depressão.

Esse conhecimento era disseminado no mundo antigo e é mantido até hoje em certas culturas. Mas, na cultura ocidental, muitas pessoas esqueceram como viver uma vida agradável e alegre. E, pior, se esforçam tanto para serem felizes que acabam desperdiçando seus momentos mais importantes e destruindo a paz que vinham buscando.

Escrevemos este livro para mostrar onde a felicidade, a paz e o contentamento podem ser encontrados e como você pode redescobri-los. Ele ensina técnicas para se libertar da ansiedade, do estresse, da infelicidade e da exaustão. Não prometemos felicidade eterna, pois sabemos que todos passam por períodos de dor e sofrimento, e seria ingênuo negar esse fato. Mas, mesmo assim, é possível ter uma alternativa à luta implacável que permeia grande parte de nossa vida.

Nas páginas seguintes e no CD que acompanha este livro apresentamos uma série de práticas simples que você pode incorporar à sua rotina. Elas são fundamentadas na terapia cognitiva com base na atenção plena (também conhecida pela sigla em inglês MBCT – *mindfulness-based cognitive therapy*), que se originou da obra de Jon Kabat-Zinn, professor e pesquisador da Faculdade de Medicina da Universidade de Massachusetts e que assina o prefácio. O programa foi originalmente desenvolvido por Mark Williams (coautor deste livro), John Teasdale (da Universidade de Cambridge) e Zindel Segal (da Universidade de Toronto), com o objetivo de ajudar pessoas que sofriam de crises repetidas de depressão a superar a doença. Ficou clinicamente provado que essa prática reduz à metade o risco de reincidência em pacientes que já tiveram as formas mais debilitantes da doença. É tão eficiente quanto o tratamento com antidepressivos, mas sem os efeitos colaterais. Na verdade, é tão eficaz que passou a ser um dos tratamentos mais recomendados pelo Instituto Nacional de Excelência Clínica do Reino Unido.

A técnica da terapia cognitiva com base na atenção plena gira em torno de uma forma de meditação que era pouco conhecida no Ocidente até recentemente. A meditação que a técnica propõe é tão simples que pode ser feita por qualquer pessoa. Além de ajudar a resgatar a alegria de viver, ela também impede que as sensações normais de ansiedade, estresse e tristeza se transformem em infelicidade crônica ou até mesmo depressão.

Meditação de um minuto

1. Sente-se ereto em uma cadeira com encosto reto. Se possível, afaste um pouco as costas do encosto da cadeira para que sua coluna vertebral se sustente sozinha. Seus pés podem repousar no chão. Feche os olhos ou abaixe o olhar.
2. Concentre a atenção em sua respiração enquanto o ar flui para dentro e para fora de seu corpo. Perceba as diferentes sensações geradas por cada inspiração e expiração. Observe a respiração sem esperar que algo de especial aconteça. Não há necessidade de alterar o ritmo natural.
3. Após alguns instantes, talvez sua mente comece a divagar. Ao se dar conta disso, traga sua atenção de volta à respiração, suavemente. O ato de perceber que sua mente se dispersou e trazê-la de volta sem criticar a si mesmo é central para a prática da meditação da atenção plena.
4. Sua mente poderá ficar tranquila como um lago – ou não. Ainda que você obtenha uma sensação de absoluta paz, poderá ser apenas fugaz. Caso se sinta irritado ou entediado, perceba que essa sensação também deve ser fugaz. Seja lá o que aconteça, permita que seja como é.
5. Após um minuto, abra os olhos devagar e observe o aposento novamente.

Uma meditação típica consiste em concentrar toda a atenção na respiração (ver quadro "Meditação de um minuto" acima). Isso permite que você observe os pensamentos surgindo em sua mente e, pouco a pouco, pare de lutar contra eles. Assim, você começa a perceber que os pensamentos vêm e vão por si próprios, e descobre que *você não é seus pensamentos*. Você pode observá-los enquanto aparecem de repente e enquanto desaparecem como uma bolha de sabão. Ao se dar conta disso, fica claro que pensamentos e sensações (mesmo os negativos) são transitórios e que você tem a opção de agir com base neles ou não.

A atenção plena consiste em observar sem criticar e em ser compassivo consigo mesmo. Quando a infelicidade e o estresse ocupam sua cabeça, em vez de levá-los para o lado pessoal, você aprende a tratá-los como se fossem apenas nuvens negras e a observá-los com curiosidade enquanto se afastam. Em essência, a atenção plena permite que você capte os padrões dos pensamentos negativos antes que eles o lancem em uma espiral descendente. Esse é o início do processo para retomar o controle de sua vida.

Com o tempo, a atenção plena provoca mudanças de longo prazo no estado de humor e nos níveis de felicidade e bem-estar. Estudos científicos mostram que a prática da atenção plena não só previne a depressão, como afeta positivamente os padrões cerebrais responsáveis pela ansiedade e pelo estresse do dia a dia, fazendo com que, uma vez instalada, essa condição se dissolva com mais facilidade. Outros estudos demonstraram que pessoas que meditam regularmente vão ao médico com menos frequência e passam menos dias no hospital quando são internadas. Além disso, a memória melhora, a criatividade aumenta e as reações se tornam mais rápidas (ver quadro sobre os benefícios da meditação a seguir).

Os benefícios da meditação da atenção plena

Estudos mostram que os meditadores regulares são mais felizes e mais satisfeitos do que a média das pessoas.[1] Esses resultados têm uma importante repercussão na saúde, já que as emoções positivas estão associadas a uma vida mais longa e saudável.[2]

- A ansiedade, a depressão e a irritabilidade diminuem com sessões regulares de meditação.[3] A memória melhora, as reações se tornam mais rápidas e o vigor mental e físico aumenta.[4]

- Os meditadores regulares têm relacionamentos melhores e mais gratificantes.[5]
- Estudos feitos no mundo todo comprovam que a prática da meditação reduz os principais indicadores do estresse crônico, incluindo a hipertensão.[6]
- A meditação é eficaz também para reduzir o impacto de doenças graves, como dor crônica[7] e câncer,[8] podendo até auxiliar no combate à dependência de drogas e álcool.[9]
- Além disso, pesquisas indicam que a meditação fortalece o sistema imunológico, ajudando a combater resfriados, gripe e outras doenças.[10]

Apesar desses benefícios comprovados, muitas pessoas ainda ficam desconfiadas quando ouvem a palavra "meditação". Assim, antes de avançarmos, seria bom fazer algumas considerações e refutar alguns mitos:

- A meditação não é uma religião. A atenção plena é apenas um método de treinamento mental. Muitas pessoas que meditam são religiosas, porém inúmeros ateus e agnósticos são meditadores contumazes.

- Você não precisa se sentar no chão de pernas cruzadas (como nas fotos que provavelmente viu nas revistas e na TV), mas pode, se quiser. A maioria das pessoas se senta no chão ou em cadeiras para meditar, mas você pode praticar a atenção plena em qualquer lugar, a qualquer momento: no ônibus, no metrô ou enquanto caminha.

- Praticar a atenção plena não exige muito tempo, mas é preciso ter paciência e persistência. Muita gente nota que a meditação alivia as pressões cotidianas, liberando tempo para gastar com coisas mais importantes.

- A meditação não é complicada. Não tem nada a ver com "sucesso" ou "fracasso". Mesmo quando sentir dificuldades para meditar, você vai aprender algo valioso sobre o funcionamento da mente e se beneficiar psicologicamente.

- A meditação não vai entorpecer sua mente nem impedi-lo de se empenhar para ter uma carreira brilhante. Também não vai obrigá-lo a adotar uma postura de Poliana diante da vida. A meditação não implica aceitar o inaceitável, mas ver o mundo com clareza para ser capaz de tomar atitudes mais sábias para mudar o que precisa ser mudado. A prática da atenção plena ajuda a cultivar uma consciência profunda e compassiva que nos permite avaliar nossas metas e encontrar o melhor caminho para agir de acordo com nossos verdadeiros valores.

ENCONTRANDO A PAZ EM UM MUNDO FRENÉTICO

Se você está lendo este livro, provavelmente já se perguntou por que a paz e a felicidade sempre parecem escapar por entre os dedos. Por que a vida é uma sucessão de atividades frenéticas, ansiedade, estresse e exaustão? Essas perguntas também nos intrigaram por muitos anos, e acreditamos que a ciência finalmente encontrou as respostas para elas. No entanto, por mais irônico que seja, hoje sabemos que os princípios subjacentes a essas respostas são verdades eternas, conhecidas há muito pelos povos do mundo antigo.

Nosso estado de humor muda a todo momento. Isso é normal. Mas certos padrões de pensamento podem transformar uma tristeza ou um desânimo passageiro em um estado prolongado de infelicidade, ansiedade, estresse e exaustão. Às vezes, um breve momento de irritação é capaz de deixá-lo de mau humor o dia inteiro. Descobertas científicas recentes mostram como essas variações emocionais podem levar à infelicidade de longo prazo, à ansiedade crônica e até à depressão. Mas também apontam o caminho para nos tornarmos pessoas mais felizes e "centradas". Os estudos descobriram que:

- Quando você começa a se sentir triste, ansioso ou irritado, não é o estado de humor que causa problemas, mas sim a maneira como você reage a ele.

- O esforço de tentar se livrar do mau humor ou da infelicidade – ou seja, tentar descobrir por que está se sentindo assim e como reagir a isso – com frequência piora ainda mais as coisas. É como ficar preso em areia movediça: quanto mais você luta para escapar, mais afunda nela.

Quando entendemos como a mente funciona, fica claro por que temos surtos de infelicidade e estresse de tempos em tempos. Muitas vezes, se estamos tristes, procuramos meios de resolver o problema. Tentamos descobrir a causa dessa tristeza e encontrar uma solução. Nesse processo, revivemos mágoas antigas e evocamos preocupações futuras – o que nos deixa ainda mais infelizes. Então começamos a nos sentir mal porque não conseguimos melhorar o astral. Logo depois nosso "crítico interno" entra em ação, dizendo que deveríamos nos esforçar mais. Assim, nos afastamos das partes mais profundas de nosso ser e entramos num ciclo interminável de recriminação e autojulgamento.

Somos arrastados para essa areia movediça emocional porque nosso estado mental está diretamente ligado à memória. A mente fica o tempo todo percorrendo as lembranças para encontrar aquelas que reflitam nosso estado atual. Por exemplo, se você se sente ameaçado, na mesma hora a mente traz à tona lembranças de quando você se sentiu em perigo no passado, para poder detectar semelhanças e achar um meio de escapar. Isso acontece de forma instantânea, sem que você perceba. É uma habilidade básica de sobrevivência aperfeiçoada por milhões de anos de evolução. É incrivelmente poderosa e quase impossível de deter.

O mesmo ocorre em relação à infelicidade, à ansiedade e ao estresse. É normal sentir-se para baixo de vez em quando, mas a tristeza ocasionalmente pode desencadear uma cascata de lembranças infelizes, emoções negativas e julgamentos cruéis. Em pouco tempo, você pode começar a se martirizar com pensamentos autocríticos, como: "O que há de errado comigo?", "Minha vida é uma droga" e "Eu sou um inútil mesmo".

Esses pensamentos são incrivelmente poderosos, e uma vez que ganham impulso é muito difícil freá-los. Um pensamento desencadeia o próximo, depois o seguinte... Logo, o pensamento original – por mais fugaz que tenha sido – evoca uma série de tristezas, ansiedades e temores semelhantes, e você se afunda no próprio pesar.

Em certo sentido, não há nada de surpreendente nisso. O contexto exerce um efeito enorme sobre a memória. Alguns anos atrás, psicólogos descobriram que se mergulhadores de águas profundas memorizassem uma lista de palavras na praia, tendiam a esquecê-las quando estavam embaixo d'água, mas conseguiam relembrá-las quando voltavam à terra firme. O inverso também funcionava: palavras memorizadas embaixo d'água eram mais facilmente esquecidas na praia e relembradas durante o mergulho. O mar e a praia eram contextos poderosos para a memória.[11]

Você pode ver esse processo acontecendo em sua mente. Alguma vez já voltou ao lugar onde mais gostava de passar as férias na infância? Antes da visita, você provavelmente só tinha lembranças difusas. Mas, quando chega lá – e percorre as ruas, absorve a paisagem, os sons e os cheiros –, as lembranças voltam como uma enxurrada. Isso pode fazer com que se sinta empolgado, nostálgico ou emocionado. Retornar àquele contexto encoraja sua mente a evocar uma série de lembranças relacionadas ao local. Mas não são apenas lugares que desencadeiam lembranças. O mundo está cheio de desencadeadores: uma canção, uma determinada flor, o cheiro do pão fresquinho...

Da mesma forma, nosso humor pode agir como um contexto interno tão poderoso quanto a visita a um lugar especial ou o som de uma música favorita. Uma centelha de tristeza, frustração ou ansiedade pode trazer de volta lembranças perturbadoras, e logo você estará perdido em emoções negativas e pensamentos sombrios. Talvez você nem saiba de onde vieram – parecem ter surgido do nada. E você pode ficar mal-humorado, irritado ou triste sem saber a causa.

Não é possível parar a torrente de lembranças, mas há maneiras de evitar o que aconteceria em seguida. Você pode impedir que a espiral se autoalimente e desencadeie o próximo ciclo de negatividade. Pode deter a sucessão de emoções destrutivas capaz de deixá-lo mais infeliz, ansioso, estressado, irritado ou exausto.

A meditação da atenção plena ensina você a reconhecer lembranças e pensamentos prejudiciais assim que surgirem. Ela o faz se dar conta de que as lembranças não passam de lembranças, e que, portanto, *não são reais*. Não são *você*. Você aprende a observar os pensamentos negativos no momento em que surgem e a vê-los evaporar diante de seus olhos. Quando isso ocorre, uma sensação profunda de felicidade e paz o invade.

Tal prática faz a mente agir de maneira alternativa à forma como ela geralmente se relaciona com o mundo. A maioria das pessoas conhece apenas o lado analítico da mente, o processo de produção de pensamentos, julgamentos, planejamento e busca por lembranças antigas para encontrar soluções semelhantes. Mas a mente também é *consciente*. Não apenas *pensamos* sobre coisas: temos consciência de que estamos pensando. Não precisamos da linguagem para intermediar nossa relação com o mundo. Podemos experimentá-lo diretamente por meio dos sentidos: somos capazes de ouvir o som dos pássaros, de sentir o perfume das flores e de ver o sorriso da pessoa amada. Sabemos tanto com o coração quanto com a cabeça. A capacidade de pensar não resume a experiência consciente. A mente é maior e mais abrangente do que o pensamento.

A meditação traz clareza mental, o que nos permite ver as coisas com uma consciência pura e sincera. É um lugar – um posto privilegiado de observação – do qual podemos testemunhar o nascimento de nossos pensamentos e sensações. Ela desarma o gatilho que nos faz reagir de imediato. Nosso eu interior – nosso lado de felicidade e paz inatas – deixa de ser abafado pelo ruído da mente ruminando os problemas.

A prática da atenção plena nos encoraja a ser mais pacientes e compassivos com nós mesmos, a abrir a mente e a ser persistentes. Essas qualidades nos ajudam a escapar da força gravitacional da ansiedade, do estresse e da infelicidade, lembrando-nos de que *devemos parar de tratar a tristeza e outras dificuldades como problemas que precisam ser resolvidos*. Não podemos nos sentir mal por "falhar" em resolvê-los. Na verdade, muitas vezes é até melhor não conseguirmos encontrar soluções, pois nossas formas habituais de resolver problemas podem acabar agravando-os.

A prática da atenção plena não nega o desejo natural do cérebro de solucionar problemas. Ela simplesmente nos dá tempo para escolher a melhor forma de resolvê-los.

A FELICIDADE AGUARDA

A atenção plena opera em dois níveis. O primeiro e mais importante é a essência do programa, que consiste em uma série de meditações diárias simples que podem ser praticadas em qualquer lugar (embora seja mais útil praticá-las em um local tranquilo em casa). Algumas duram apenas três minutos, outras podem levar de vinte a trinta minutos.

A atenção plena nos encoraja a romper com os hábitos de pensamento e comportamento que nos impedem de aproveitar plenamente a vida. Grande parte da autocrítica e dos julgamentos internos surge a partir da maneira como costumamos pensar e agir. Ao quebrar algumas de suas rotinas diárias, aos poucos você dissolverá alguns desses padrões de pensamento negativo e se tornará mais atento e consciente. É espantoso notar como a felicidade e a alegria reaparecem, mesmo fazendo apenas pequenas mudanças na sua maneira de viver.

Romper os hábitos não é complicado: basta, por exemplo, desligar a TV, pegar um caminho diferente para o trabalho e não se sentar sempre na mesma cadeira em todas as reuniões. Você pode plantar sementes e observar a germinação, cuidar do animal de estimação do seu amigo por uns dias, assistir a um filme num cinema em que nunca foi. Atitudes simples assim – aliadas a uma breve meditação todos os dias – realmente podem tornar sua vida mais alegre e gratificante.

Você pode praticar o programa pelo período que desejar, mas o ideal é realizá-lo durante as oito semanas recomendadas. Ele é tão flexível quanto você quiser torná-lo, mas convém lembrar que pode levar tempo até que as práticas revelem seu pleno potencial. Por isso são chamadas de *práticas*. Este livro foi concebido para ajudá-lo e orientá-lo ao longo desse caminho. E, se você segui-lo, finalmente encontrará a paz neste mundo tão agitado.

Para começar o programa imediatamente, sugerimos que você vá direto para o Capítulo Quatro. Caso queria saber mais sobre os estudos que revelam como nos tornamos prisioneiros dos pensamentos e comportamentos negativos – e como a meditação pode nos libertar –, os Capítulos Dois e Três lhe darão todas as informações. Esperamos realmente que você leia esses capítulos, pois eles mostram por que a atenção plena é tão poderosa. Eles vão ajudar bastante em seu progresso e lhe dar a chance de conhecer a Meditação do Chocolate. Mas, caso esteja muito ansioso para começar, não há motivo para não iniciar o programa agora mesmo e ler os Capítulos Dois e Três à medida que for praticando.

No CD que acompanha o livro há oito faixas contendo as meditações necessárias para conduzi-lo ao longo do programa. Sugerimos que você leia sobre cada meditação no livro e depois siga as orientações do CD para colocá-las em prática.

Se preferir, você também pode baixar o conteúdo do CD gratuitamente no endereço http://www.esextante.com.br/atencaoplena/.

CAPÍTULO DOIS

Por que nos atacamos?

Aparentemente, Lucy era uma representante de vendas bem-sucedida de uma rede de lojas de roupas. Mas ela estava se sentindo paralisada. Às três da tarde, olhando pela janela do escritório, estressada, exausta e totalmente indisposta, ela se perguntava:

> *Por que não consigo fazer meu trabalho direito? Por que não consigo me concentrar? O que há de errado comigo? Estou tão cansada! Nem consigo pensar direito...*

Lucy vinha se punindo com esses pensamentos autocríticos constantemente. Mais cedo, naquele dia, ela tivera uma conversa longa e ansiosa com a professora do jardim de infância sobre sua filha, Emily, que andava chorando quando era deixada na escola. Depois, telefonou para o bombeiro para saber por que não tinha ido consertar a descarga quebrada em sua casa. Agora fitava uma planilha, sentindo-se sem energia e mastigando um muffin de chocolate no lugar do almoço.

As exigências e tensões na vida de Lucy estavam piorando gradualmente nos últimos meses. O trabalho se tornava cada vez mais estressante e começava a se estender até bem depois do horário do expediente. As noites haviam se tornado insones, os dias, mais sonolentos. Seu corpo começou a doer. A vida perdeu a alegria. Seguir em frente era uma luta. Ela já havia se sentido assim antes, mas sempre fora uma situação temporária. Jamais imaginara que aquilo poderia se tornar um aspecto permanente de sua vida.

Ela vivia se perguntando: *O que aconteceu com a minha vida? Por que me sinto tão exausta? Eu deveria estar feliz. Eu costumava ser feliz. Para onde foi minha alegria?*

A vida de Lucy girava em torno de excesso de trabalho, infelicidade, insatisfação e estresse. Ela fora privada de sua energia mental e física e se sentia perdida. Queria voltar a ser feliz e estar em paz consigo mesma, mas não tinha ideia de como chegar lá. Sua frustração não era grave a ponto de justificar uma ida ao médico, mas era suficiente para solapar o seu prazer de viver. Ela não vivia, apenas *sobrevivia*.

A história de Lucy não é um caso isolado. Ela é uma das milhões de pessoas que não estão deprimidas nem ansiosas na acepção médica – mas também não são felizes de verdade. O humor de todos nós passa por altos e baixos. Às vezes nosso estado de espírito muda de uma hora para outra, sem nem sabermos por quê: num momento estamos felizes, contentes e despreocupados, então algo sutil acontece e começamos a ficar estressados. Pensamos em nossas dificuldades, em todas as coisas que precisamos fazer, na falta de tempo para resolver tudo. O ritmo das exigências é cada vez mais implacável. Nesse estado, ficamos cansados o tempo todo, de forma que nem uma boa noite de sono nos revigora. E nos perguntamos: Como isso foi acontecer? Por que ficamos assim? Talvez não tenha havido nenhuma grande mudança em nossa vida: não perdemos um amigo, não nos endividamos de forma descontrolada. Nada mudou, mas de alguma forma a alegria desapareceu, sendo substituída por uma espécie de aflição generalizada.

Na maior parte do tempo, as pessoas conseguem escapar dessa espiral descendente. Esses períodos difíceis costumam passar. No entanto, às vezes podem perdurar e nos levar para o fundo do poço. No caso de Lucy, a tristeza e a frustração duraram meses, sem qualquer razão aparente. Nas situações mais graves, a pessoa pode ser acometida por uma crise séria de ansiedade ou de depressão clínica (ver quadro a seguir).

Infelicidade, estresse e depressão

A depressão vem cobrando um alto preço no mundo moderno. Acredita-se que 10% da população deve ficar clinicamente deprimida nos próximos doze meses. E a tendência é que a situação se agrave. A Organização Mundial da Saúde[1] estima que a depressão será o segundo pior problema de saúde global em 2020. Pense nisto por um momento: a depressão causará mais danos do que doenças cardíacas, artrite e alguns tipos de câncer em menos de uma década.

A doença costumava ser típica da meia-idade. Agora, no entanto, ataca a maioria das pessoas pela primeira vez por volta dos 25 anos. E um número substancial de indivíduos sofre seus primeiros efeitos ainda na adolescência.[2] O problema pode persistir: cerca de 15% a 39% das vítimas continuam deprimidas após um ano. Aproximadamente 20% permanecem deprimidas por dois anos ou mais – que é a definição de depressão crônica.[3] Porém o mais assustador é que a depressão tende a retornar. Se você esteve deprimido uma vez, as chances de recaída são de 50%, ainda que você tenha se recuperado de forma plena.

Apesar de a depressão estar causando tantos estragos, sua prima – a ansiedade crônica – também vem se tornando perturbadoramente comum, com níveis médios em crianças e jovens atingindo um patamar que seria considerado "clínico" na década de 1950.[4] Não é preciso muita imaginação para concluir que, em poucas décadas, a infelicidade, a depressão e a ansiedade terão se tornado a condição humana normal, tomando o lugar da felicidade e do contentamento.

Embora períodos persistentes de aflição e exaustão geralmente pareçam surgir do nada, existem processos ocorrendo no fundo da mente que só se tornaram conhecidos na década de 1990. E essa descoberta trouxe a percepção de que podemos nos libertar das preocupações, da infelicidade, da ansiedade, do estresse, da exaustão e até da depressão.

Se você perguntasse a Lucy como estava se sentindo naquela tarde, ela teria dito que estava "exausta" ou "tensa". À primeira vista, essas sensações parecem afirmações factuais, mas se olhasse para dentro de si mesma com mais atenção, Lucy teria percebido que não havia algo específico que pudesse ser rotulado de "exaustão" ou "tensão". Ambas as emoções eram, na verdade, feixes de pensamentos, sentimentos, sensações físicas e impulsos (como o desejo de gritar ou de sair correndo da sala). As emoções são assim: uma "cor de fundo" criada quando a mente funde pensamentos, sentimentos, impulsos e sensações físicas para evocar um tema norteador ou estado mental geral (ver diagrama "O que compõe uma emoção?" na página seguinte). Todos os elementos que formam as emoções interagem entre si e podem intensificar o estado de humor geral. É uma dança intricada, cheia de ligações sutis que só agora começamos a entender.

Tomemos os pensamentos como exemplo. Algumas décadas atrás, acreditava-se que os pensamentos conseguiam mudar nosso estado de espírito e nossas emoções, mas a partir dos anos 1980 descobriu-se que o contrário também pode acontecer: nosso estado de espírito pode mudar nossos pensamentos. Na prática, isso significa que mesmo os momentos passageiros de tristeza podem acabar se autoalimentando para criar pensamentos negativos, definindo a maneira como você vê e interpreta o mundo. Assim como um céu nublado pode fazê-lo se sentir melancólico, uma pequena irritação pode trazer à tona lembranças ruins, aprofundando ainda mais seu nervosismo. O mesmo vale para outras emoções: se você se sente estressado, esse estado pode criar ainda mais estresse. Isso também acontece com a ansiedade, o medo, a raiva, e com emoções "positivas" como amor, felicidade, compaixão e empatia.

O que compõe uma emoção?

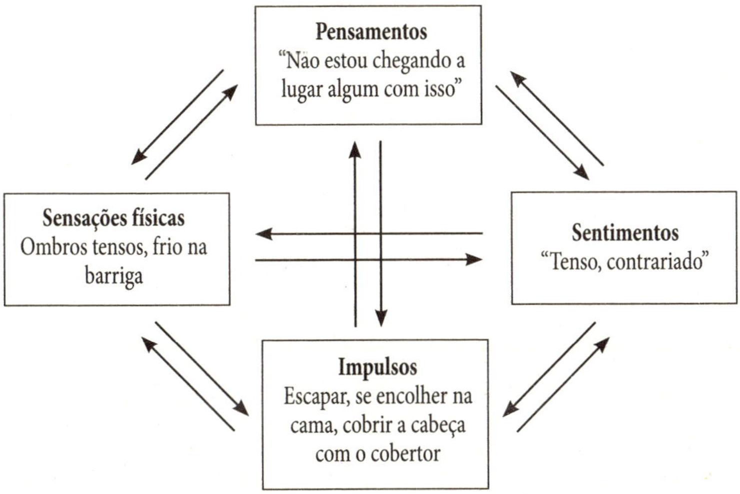

Emoções são feixes de pensamentos, sentimentos, sensações físicas e impulsos para agir. Da próxima vez que experimentar emoções agradáveis ou desagradáveis, você vai poder avaliar o que está acontecendo e observar a interação dos diferentes aspectos do feixe.

Mas não são apenas pensamentos e estados de ânimo que se alimentam mutuamente e destroem o bem-estar – o corpo também se envolve nesse processo. Isso acontece porque a mente não existe de forma isolada. Ela é uma parte fundamental do corpo, e ambos compartilham informações emocionais entre si o tempo todo. Na verdade, grande parte do que o corpo sente é influenciado pelos pensamentos e pelas emoções, e tudo o que pensamos é influenciado pelo que está ocorrendo no corpo. Pesquisas recentes mostram que nossa perspectiva de vida pode ser alterada por mínimas mudanças corporais: atitudes sutis como fechar a cara, sorrir ou corrigir a postura podem ter um impacto enorme em nosso estado de espírito e em nossos pensamentos (ver quadro a seguir).

Humor deprimido, corpo deprimido

Você já observou como o mau humor afeta o seu corpo? Já reparou que o desânimo influencia a maneira como, por exemplo, você anda?

O psicólogo Johannes Michalak[5] e outros pesquisadores da Universidade do Ruhr, em Bochum, Alemanha, usaram um sistema óptico de captura de movimentos para ver como pessoas deprimidas e não deprimidas diferem ao caminhar. Para o estudo, convidaram voluntários para andar pelo laboratório, escolhendo livremente a velocidade e o estilo da caminhada. Os movimentos foram rastreados de forma tridimensional, usando mais de quarenta pequenas marcas reflexivas afixadas ao corpo deles.

Os pesquisadores descobriram que os deprimidos caminhavam mais devagar, balançando menos os braços. A parte superior do corpo deles não subia e descia muito, mas tendia a balançar de um lado para outro. Além disso, constataram que os voluntários deprimidos andavam com a postura curvada, inclinada para a frente.

É claro que a má postura não é apenas o resultado de estar deprimido. Faça o teste: sente-se por alguns instantes com os ombros caídos e a cabeça baixa, e observe como está se sentindo. Se perceber que seu humor piorou, sente-se ereto, com a cabeça e o pescoço equilibrados sobre os ombros, e veja a diferença.

Para compreender melhor o poder da interação entre o corpo e o estado de humor, os psicólogos Fritz Strack, Leonard Martin e Sabine Stepper[6] pediram a um grupo de pessoas que assistisse a desenhos animados e depois avaliasse quão engraçados eram. Alguns voluntários tiveram que colocar um lápis entre os lábios, sendo forçados a franzi-los e fazer uma cara triste. Outros assistiram aos desenhos com o lápis entre os dentes, simulando um sorriso. Os resultados foram impressionantes: aqueles forçados a sorrir acharam os desenhos bem mais engraçados do que aqueles obrigados a fechar a cara. Todos sabemos que sorrir demonstra que estamos felizes, mas, convenhamos: é surpreendente descobrir que o ato de sorrir pode ele próprio *torná-lo* feliz. Esse é um exemplo perfeito de como são estreitos os vínculos entre a mente e o corpo.

Sorrir também é contagioso. Quando você vê alguém sorrindo, quase inevitavelmente sorri de volta. Pense nisto: o simples ato de sorrir pode deixá-lo contente (ainda que seja um sorriso forçado). E, se você sorrir, os outros sorrirão de volta, o que reforça sua felicidade. É um círculo virtuoso.

Mas também existe um círculo vicioso, que atua na direção oposta. Ao pressentirmos uma ameaça, ficamos tensos, prontos para lutar ou fugir. Essa reação de "luta ou fuga" não é consciente: é controlada por uma das partes mais "primitivas" do cérebro e, por isso, ele pode ser um pouco simplista na maneira de interpretar o perigo. O cérebro não faz distinção entre uma ameaça externa (como um tigre) e uma interna (como uma lembrança incômoda ou uma preocupação futura), tratando as duas como um perigo equivalente. Quando uma ameaça é detectada – seja real ou imaginária –, o corpo fica tenso e se prepara para entrar em ação. Isso pode se manifestar de várias formas, como rosto franzido, frio na barriga ou tensão nos ombros. A mente lê a reação do corpo e entende que está diante de uma ameaça (lembra como uma cara amarrada pode fazê-lo se sentir triste?), o que faz o corpo tensionar ainda mais. O círculo vicioso começou.

Na prática, isso significa que, se você está se sentindo um pouco estressado ou vulnerável, uma pequena mudança emocional pode acabar arruinando seu dia – ou até mesmo lançá-lo num período prolongado de insatisfação ou preocupação. Essas mudanças costumam surgir do nada, deixando-o sem energia e se perguntando por que está tão infeliz.

Oliver Burkeman, colunista do jornal *The Guardian*, descobriu isso sozinho e escreveu sobre como pequenas sensações corporais se retroalimentavam para lançá-lo em uma espiral emocional descendente:

> Geralmente sou feliz, mas de vez em quando sou atingido por um estado de infelicidade e ansiedade que se intensifica muito rá-

> pido. Nos piores dias, sou capaz de passar horas perdido em divagações angustiantes, refletindo sobre as grandes mudanças que preciso fazer em minha vida. De repente, percebo que me esqueci de almoçar. Como um sanduíche de atum e o mau humor desaparece. No entanto, minha primeira reação à sensação ruim nunca é pensar que estou com fome. Aparentemente, meu cérebro prefere se chatear com reflexões sobre a falta de sentido da existência a me direcionar até a geladeira.

Como Oliver Burkeman constatou em sua própria experiência, quase sempre essas "divagações angustiantes" se desfazem rápido. Algo atrai nosso olhar e nos faz sorrir – um amigo telefona, encontramos um bom filme passando na TV, tomamos uma deliciosa xícara de chocolate quente ou decidimos ir para a cama cedo. Em geral, toda vez que somos atingidos pelos turbilhões da vida, algo de bom acontece para restabelecer o equilíbrio. Mas nem sempre é assim. Às vezes o peso de nossa história entra em ação e adiciona uma carga emocional extra, já que nossas lembranças têm um impacto poderoso em nossos pensamentos, sentimentos, impulsos e, em última análise, em nosso corpo.

Vamos voltar ao exemplo de Lucy. Embora se descreva como uma pessoa "ambiciosa" e "relativamente bem-sucedida", ela tem consciência de que algo fundamental está faltando em sua vida. Ela conquistou quase tudo o que queria, por isso acha estranho que não se sinta feliz, contente e em paz consigo mesma. Constantemente repete a frase "Eu deveria estar feliz", como se dizer isso fosse suficiente para expulsar a tristeza.

Os surtos de infelicidade de Lucy começaram na adolescência. Seus pais se separaram quando ela tinha 17 anos e a casa da família precisou ser vendida, forçando seus pais a se mudarem para locais não muito adequados. Lucy surpreendeu a todos por segurar a barra. É claro que no início ficou arrasada com o divórcio, mas logo aprendeu a tirar o foco dos problemas se empenhando nos estudos. Essa foi sua tábua de salvação. Tirou boas notas, entrou na faculdade e se formou com uma qualificação satisfatória. Seu primeiro emprego foi como trainee numa loja de roupas. Ao longo dos anos, foi subindo na hierarquia da empresa, até chegar a chefe de uma pequena equipe de representantes de vendas.

Aos poucos, o trabalho dominou a vida de Lucy, deixando-a cada vez mais sem tempo para si mesma. Aconteceu tão lentamente que ela mal percebeu que deixava sua vida de lado. Ocorreram coisas boas também, é claro, como o casamento com Tom e o nascimento das duas filhas. Ela adorava sua família, mas não conseguia se livrar da sensação de que apenas algumas pessoas tinham direito de viver de forma plena. Sua impressão era de estar caminhando em areia movediça.

Essa areia movediça era sua rotina, seu estresse, seus padrões de pensamentos e seus sentimentos do passado. Embora por fora Lucy parecesse uma pessoa de sucesso, por dentro ela morria de medo do fracasso. Esse medo fazia com que qualquer mau humor passageiro desencadeasse lembranças dolorosas, enquanto seu crítico interno dizia que era vergonhoso exibir tais fraquezas. Sensações vagas de insegurança acabavam despertando uma sucessão de sentimentos negativos do passado que pareciam bem reais e rapidamente assumiam vida própria, ativando outra onda de emoções nocivas.

Como Lucy atestará, é raro experimentarmos a tensão ou a tristeza isoladamente - raiva, irritabilidade, amargura, ciúmes e ódio às vezes estão ligados em um novelo intricado. Esses sentimentos podem até ser dirigidos aos outros, mas na maioria das vezes são voltados para nós mesmos, ainda que não percebamos. Ao longo da vida, esses emaranhados emocionais podem se tornar mais associados aos pensamentos, aos sentimentos, às sensações físicas e aos comportamentos. É assim que o passado consegue ter um efeito tão difuso no presente. Se ativamos uma chave emocional, as outras são ativadas em seguida (o mesmo ocorre com as sensações físicas, como a dor). Tudo isso pode desencadear padrões de pensamento, comportamento e sentimentos que sabemos que são nocivos, mas que simplesmente não conseguimos evitar. E que, quando combinados, são capazes de transformar qualquer contratempo em uma tempestade emocional.

Aos poucos, o acionamento repetitivo de pensamentos e humores negativos começa a abrir sulcos na mente. Com o tempo, esses sulcos se tornam mais profundos, fazendo com que os pensamentos negativos, a autocrítica, a melancolia e o medo se instalem com mais facilidade e se dissipem com mais esforço. A consequência disso é que os períodos prolongados de fragilidade podem ser desencadeados por coisas cada vez mais banais, como uma chateação momentânea ou uma baixa de energia – tão banais que às vezes nem as reconhecemos. Com frequência, os pensamentos negativos aparecem disfarçados de perguntas duras que fazemos a nós mesmos: *Por que estou tão infeliz? O que está acontecendo comigo? Onde será que errei? Onde isso vai acabar?*

Os vínculos estreitos entre os diversos aspectos da emoção, que o tempo todo recorrem ao passado, podem explicar por que um sentimento passageiro pode ter um efeito significativo sobre o estado de humor. Às vezes esses sentimentos chegam e partem tão rápido quanto uma rajada de vento. Outras vezes, no entanto, o estresse, a fadiga e o mau humor ficam grudados como adesivos em nossa mente, e nada parece ser capaz de arrancá-los dali. A impressão que se tem é que é justamente isso que está ocorrendo: a mente é ativada para entrar em alerta máximo, mas depois não consegue ser desativada, como deveria acontecer.

Uma boa forma de ilustrar esse processo é comparar a maneira como humanos e animais reagem diante do perigo. Tente se lembrar do último documentário sobre a vida selvagem a que assistiu na TV. Deve ter aparecido um rebanho de gazelas sendo caçado por um leopardo na savana africana. Aterrorizados, os animais correram feito loucos até que o leopardo capturou um deles ou desistiu da caçada naquele dia. Uma vez passado o perigo, as gazelas voltaram a pastar tranquilamente. Algo no cérebro delas foi acionado quando avistaram o leopardo e depois desativado quando a ameaça se dissipou.

Mas a mente humana é diferente, sobretudo quando se trata de ameaças "intangíveis" capazes de desencadear ansiedade, estresse, preocupação ou irritabilidade. Quando nos preocupamos ou tememos alguma coisa – seja ela real ou imaginária – nossas reações de luta ou fuga (ver p. 27) entram em ação. Mas aí algo mais ocorre: a mente começa a percorrer nossas lembranças em busca de algo que explique *por que* nos sentimos daquele jeito. Assim, se nos sentimos tensos ou em perigo, nossa mente desenterra memórias de ocasiões passadas em que nos sentimos ameaçados e depois cria cenários do que poderá ocorrer no futuro se não conseguirmos explicar o que está acontecendo agora. O resultado é que os sinais de alerta do cérebro são ativados não apenas pelo perigo *atual*, mas por ameaças *passadas* e preocupações *futuras*. Tal processo se dá de forma instantânea, sem que percebamos.

Estudos recentes feitos a partir de tomografias do cérebro confirmam que pessoas que sentem dificuldade de viver o presente e têm rotinas muito agitadas possuem uma amígdala cerebral (a parte primitiva do cérebro envolvida no instinto de luta ou fuga) em "alerta máximo" o tempo todo.[7] Assim, quando trazemos à tona lembranças de ameaças e perdas antigas e as juntamos ao "perigo" atual, nosso mecanismo de luta ou fuga não é desativado quando a ameaça passa. Ao contrário das gazelas, não paramos de correr.

Então, a forma como reagimos pode transformar emoções temporárias e não problemáticas em dores persistentes e incômodas. Em suma, a mente pode acabar agravando a situação. Isso vale para muitos outros sentimentos do dia a dia. Eis um exemplo:

Enquanto está lendo este livro, veja se consegue perceber qualquer sinal de fadiga em seu corpo. Passe um momento observando-o a fundo. Depois que tiver se conscientizado de seu cansaço, faça a si mesmo as seguintes perguntas: *Por que estou me sentindo tão exausto? O que fiz de errado? O que essa sensação revela sobre mim? O que acontecerá se eu não conseguir me livrar dessa fadiga?*

Reflita sobre essas questões por um tempo. Deixe-as ecoar em sua mente. *Por que estou tão cansado? O que aconteceu comigo? O que vou fazer se permanecer assim?*

Como se sente agora? Provavelmente pior. Acontece com todo mundo, porque aliado a essas perguntas existe um desejo de se livrar da fadiga e de descobrir suas causas e consequências.[8] O impulso de explicar e expulsar a exaustão deixou você mais exausto.

O mesmo vale para uma série de sentimentos, como a infelicidade, a ansiedade e o estresse. Quando estamos infelizes, é natural tentarmos descobrir a razão por nos sentirmos assim e procurarmos um meio de resolver esse "problema". Mas tensão, infelicidade ou exaustão não são problemas que possam ser resolvidos. São emoções. Refletem estados da mente e do corpo. Como tais, não podem ser *resolvidas* – apenas *sentidas*. Se você as percebeu e abandonou a tendência de explicá-las ou resolvê-las, terá mais chances de vê-las desaparecer sozinhas, como a névoa numa manhã de primavera.

Isso lhe soa estranho? Deixe-me explicar melhor.

Quando você tenta resolver o "problema" da infelicidade (ou de qualquer outra emoção "negativa"), mobiliza uma das ferramentas mais poderosas da mente: o pensamento crítico racional. Funciona assim: você se vê num lugar (infeliz) e sabe onde deseja estar (feliz). Sua mente analisa o hiato entre os dois polos e tenta descobrir a melhor forma de transpô-lo. Para isso, usa seu modo Atuante (assim chamado porque é eficiente para resolver problemas e realizar tarefas), que reduz progressivamente o hiato entre onde você está e onde deseja chegar. Ele faz isso fragmentando o problema, resolvendo cada uma das partes e depois verificando se isso o ajudou a se aproximar de seu objetivo. Esse processo é instantâneo e nem nos damos conta dele. É uma forma incrivelmente poderosa de resolver problemas: é assim que nos orientamos nas cidades desconhecidas, dirigimos carros e organizamos cronogramas de trabalho frenéticos. Numa escala maior, foi como os povos antigos construíram pirâmides e navegaram pelo mundo em veleiros primitivos.

Parece perfeitamente natural, portanto, aplicar essa abordagem para resolver o "problema" da infelicidade. Mas, na verdade, é a pior coisa que se pode fazer, pois requer que você se concentre no hiato entre como *está* e como *gostaria de estar*. Então você faz perguntas como: *O que há de errado comigo? Onde foi que errei? Por que cometo sempre os mesmos erros?* Esses questionamentos, além de duros e autodestrutivos, exigem que a mente forneça indícios para explicar seu descontentamento. E a mente é de fato brilhante em fornecer tais indícios.

Imagine-se passeando num belo parque em um dia de primavera. Você está feliz, mas, por alguma razão desconhecida, uma centelha de tristeza surge em sua mente. Pode ser por causa da fome, já que você não almoçou, ou talvez porque você tenha se lembrado sem querer de alguma coisa incômoda. Após alguns minutos, você começa a se sentir um pouco abatido. Assim que percebe seu desânimo, pensa: *O dia está lindo. O parque é maravilhoso. Gostaria de me sentir mais contente do que estou agora.*

Repita: *Gostaria de me sentir mais contente.*

Como se sente depois disso? Provavelmente, ainda mais triste. Você se concentrou no hiato entre como se sente e como quer se sentir. E concentrar-se no hiato o realçou. A mente vê a distância entre os dois estados como um problema a ser resolvido. Essa abordagem é desastrosa quando se trata das emoções, devido à interligação complexa entre pensamentos, emoções e sensações físicas. Todos se alimentam mutuamente e podem conduzir sua mente em direções perturbadoras. Em pouco tempo, você se vê sufocado pelos próprios pensamentos. Você começa a analisar demais a situação, a remoer o sentimento, a se culpar por não se sentir feliz.

Seu estado de ânimo piora. Seu corpo fica tenso, seu rosto se franze e o desânimo se instala. Algumas dores podem surgir. Essas sensações realimentam sua mente, que se sente mais ameaçada. Seu astral pode cair a tal ponto que você deixa de aproveitar o passeio no parque e não presta mais atenção na beleza do dia.

Claro que ninguém fica remoendo os problemas porque acredita que é uma forma nociva de pensar. As pessoas acreditam que, preocupando-se o suficiente com sua infelicidade, acabarão encontrando uma solução para ela. Mas as pesquisas provam o oposto: na verdade, remoer pensamentos reduz nossa capacidade de solucionar problemas, e é um artifício absolutamente inútil para lidar com dificuldades emocionais.

Os sinais são claros: remoer pensamentos
é o problema, não a solução.

ESCAPANDO DO CÍRCULO VICIOSO

Não dá para deter o fluxo de lembranças infelizes, monólogos internos negativos e outras formas de pensamento prejudiciais – mas você *pode* evitar o que acontece a seguir. Como já dissemos, você pode impedir que o círculo vicioso se autoalimente e desencadeie a próxima espiral de pensamentos negativos. E pode fazer isso experimentando um jeito novo de se relacionar consigo mesmo e com o mundo. Se você para e reflete por um momento, a mente não apenas pensa: ela tem *consciência* de que está pensando. Essa forma de pura consciência permite que você veja o mundo de outra maneira, de um ponto de vista distanciado, sem sofrer a interferência de seus pensamentos, sentimentos e emoções. É como estar numa montanha alta – um ponto de observação – da qual você pode ver tudo por quilômetros a sua volta.

A pura consciência transcende o pensamento. Permite que você cale a mente tagarela e iniba seus impulsos e emoções reativas. Possibilita que você olhe para o mundo com os olhos abertos. E quando faz isso, a sensação de contentamento reaparece em sua vida.

CAPÍTULO TRÊS

Despertando para a vida

A real viagem de descoberta não consiste em buscar novas paisagens, mas em ter novos olhos.

ATRIBUÍDO A MARCEL PROUST, 1871-1922

Imagine-se no topo de uma montanha, contemplando lá do alto a paisagem urbana e cinzenta sob a chuva. A cidade parece fria e inóspita. Os prédios são velhos e desgastados. As avenidas estão engarrafadas e as pessoas caminham infelizes e mal-humoradas. Então algo milagroso acontece: as nuvens se dissipam e o sol começa a brilhar. Num instante, a paisagem muda. As janelas dos prédios ficam douradas. O concreto cinza muda para um bronze lustroso. As ruas parecem reluzentes e limpas. Um arco-íris surge. O rio lodoso se transforma numa serpente exótica que corta as ruas. Por um momento, tudo fica em suspenso: sua respiração, seu coração, sua mente, os pássaros no céu, o tráfego nas ruas, o próprio tempo. Tudo parece pausar, absorver a transformação.

Essas mudanças de perspectiva têm um efeito dramático – não apenas no que você vê, mas também no que pensa e sente e na maneira como se relaciona com o mundo. Elas podem alterar sua visão da vida de forma radical num piscar de olhos. Mas o que é notável nessa situação é que, de fato, pouca coisa muda: a cena permanece exatamente a mesma, mas quando o sol aparece você vê o mundo sob uma luz diferente. Só isso.

Observar sua vida sob uma luz *diferente* também pode transformar seus sentimentos. Lembre-se de uma época em que você estava se preparando para as férias. Havia coisas de mais por fazer e tempo de menos para dar conta de tudo. Você chegou tarde em casa depois de passar o dia tentando deixar o trabalho em ordem antes de sair para seus dias de folga. Você se sentia como um hamster preso numa roda que não parava de girar. Enquanto arrumava as malas, estava tão cansado que teve dificuldades de selecionar o que levar. Não conseguiu dormir direito porque sua mente continuava revivendo as atividades daquele dia. Na manhã seguinte, você acordou, pôs a bagagem no carro, trancou a casa e partiu... E acabou.

Pouco depois você estava deitado à beira da praia, relaxando e conversando com os amigos. O trabalho de repente ficou a milhares de quilômetros de distância e você mal conseguia se lembrar dos problemas relacionados a ele. Você se sentia revigorado porque sua vida simplesmente mudara de marcha. Sua rotina estressante continuava existindo, é claro, mas você agora a estava vendo de *um ponto de vista diferente.*

O tempo também pode alterar profundamente sua perspectiva. Pense na última vez que você teve uma discussão com um colega ou um estranho – talvez um atendente de telemarketing. Você ficou uma fera. Passou horas pensando em todas as coisas inteligentes que poderia ou *deveria* ter dito para derrubar seu oponente. Os efeitos da discussão arruinaram seu dia. Porém, poucas semanas depois, o episódio já não o afeta mais. Na verdade, você nem se lembra dele. O evento continua tendo ocorrido, mas você pensa nele de um *ponto diferente no tempo.*

Mudar sua perspectiva pode transformar sua experiência de vida, como mostram os exemplos. Mas eles também evidenciam um problema fundamental: todos ocorreram porque algo *fora de você* havia mudado – o sol surgiu, você saiu de férias, o tempo passou. Acontece que, se você depender *somente* da mudança de circunstâncias externas para se sentir feliz e energizado, terá de esperar muito tempo. E enquanto você espera o sol aparecer ou as férias chegarem, sua vida passa despercebida.

Mas as coisas não precisam ser assim.

Como explicamos no Capítulo Dois, é fácil ficar preso num ciclo de sofrimento e aflição quando você tenta eliminar seus sentimentos ou se emaranha num excesso de análises. Os sentimentos negativos persistem quando o modo Atuante da mente se oferece para ajudar, mas em vez disso acaba aumentando as dificuldades que você estava tentando superar.

Mas existe uma alternativa. Nossa mente tem outra maneira de se relacionar com o mundo: o modo Existente.[1] Assemelha-se a uma mudança de perspectiva, embora vá bem além disso. Ela nos permite ver como a mente tende a distorcer a "realidade" e nos ajuda a eliminar o hábito de pensar, analisar e julgar demais. Com ela, podemos experimentar o mundo de forma direta, vendo qualquer dificuldade de um novo ângulo e enfrentando os obstáculos de maneira bem diferente. Por causa dela, somos capazes de mudar nossa *paisagem interna* (ou *paisagem mental*, se preferir[2]) independentemente do que estiver ocorrendo a nossa volta. Deixamos de depender das circunstâncias externas para encontrar a felicidade, o contentamento e o equilíbrio. Voltamos a ter o controle de nossa própria vida.

Se o modo Atuante é uma armadilha, o modo Existente é a liberdade.

Ao longo das eras, as pessoas aprenderam a cultivar essa forma de ser, e qualquer um de nós é capaz de fazer o mesmo. A meditação da atenção plena é a porta pela qual podemos acessar o modo Existente. E, com um pouco de prática, poderemos abrir essa porta sempre que precisarmos.

A atenção plena surge espontaneamente do modo Existente quando aprendemos a prestar atenção deliberada, no momento presente e sem julgamento, nas coisas como de fato são.

Na atenção plena, começamos a ver o mundo como ele é, não como esperamos que seja, como queremos que seja ou como tememos que se torne.

Essas ideias podem soar um pouco nebulosas. Pela própria natureza, elas precisam ser experimentadas para serem compreendidas da maneira correta. Assim, para facilitar o entendimento, vou explicar a seguir ponto a ponto as diferenças entre os modos Atuante e Existente. Embora algumas das definições talvez não fiquem muito claras no início, os benefícios da prática da atenção plena são inquestionáveis. Na verdade, é até possível verificar os benefícios de longo prazo se enraizando no cérebro usando algumas das tecnologias de imagens mais avançadas do mundo (ver pp. 46-48).

Ao ler as páginas seguintes, é importante que você tenha em mente que o modo Atuante não é um inimigo a ser derrotado. Com frequência, é até um aliado. Ele só se torna um "problema" quando se oferece para uma tarefa que é incapaz de realizar, como "solucionar" uma emoção preocupante. Quando isso acontece, vale a pena mudar a marcha para o modo Existente.

É exatamente isto que a atenção plena proporciona: a capacidade de mudar de marcha quando precisamos, em vez de ficar presos sempre na mesma.

AS SETE CARACTERÍSTICAS DOS MODOS ATUANTE E EXISTENTE

1. Piloto automático x escolha consciente

O modo Atuante é muito eficiente em automatizar nossa vida por meio dos hábitos, mas esta é uma das características que menos percebemos. Sem a capacidade da mente de aprender com a repetição, ainda estaríamos tentando lembrar como amarrar o sapato – algo que hoje fazemos automaticamente. O lado ruim disso é que, quando cedemos demais ao piloto automático, podemos acabar pensando, trabalhando, comendo, caminhando ou dirigindo sem uma consciência clara do que estamos fazendo. O maior perigo é que grande parte da nossa vida passe assim, sem que de fato estejamos vivendo.

A atenção plena nos traz de volta à consciência: um local de escolha e intenção.

O modo Existente – ou "atento" – nos permite voltar a ter total consciência de nossa vida. Proporciona a capacidade de nos conectarmos com nós mesmos de tempos em tempos para que possamos fazer escolhas intencionais. No Capítulo Um, dissemos que a meditação da atenção plena nos leva a gastar menos tempo para realizar as coisas. É simples: quando se torna mais atento, suas intenções e ações ficam alinhadas, e você deixa de ser desviado toda hora do rumo pelo piloto automático. Aprende a parar de perder tempo à toa com sua velha maneira de pensar e agir, que se provou inútil. Além disso, diminui sua tendência a lutar demais por objetivos dos quais é melhor abrir mão. Você se torna plenamente vivo e consciente de novo.

Como dobrar sua expectativa de vida

Ficar preso no modo Atuante rouba uma grande parte de sua vida. Então pare um momento e reflita:

- Você acha difícil permanecer concentrado no que está acontecendo no momento?
- Você costuma andar rápido para chegar ao seu destino, sem prestar atenção ao que experimenta ao longo do caminho?
- Você tem a impressão de estar "funcionando no piloto automático", sem muita consciência do que está fazendo?
- Você faz as coisas depressa, sem prestar muita atenção nelas?
- Você fica tão focado no objetivo que deseja alcançar que perde contato com o que está fazendo agora para chegar lá?
- Você se preocupa muito com o passado ou o futuro?[3]

Em outras palavras, você é guiado pelas rotinas diárias que o forçam a viver na sua cabeça e não na sua vida?

Agora veja como isso se aplica na prática. Se você está com 30 anos, considerando uma expectativa de vida de 80, restam-lhe cinquenta anos. Mas se você só está consciente por duas das dezesseis horas que passa acordado por dia (acredite, isso não é absurdo), sua expectativa de vida é de apenas seis anos e três meses. Você provavelmente passa mais tempo que isso em reuniões com seu chefe! Se um amigo lhe contasse que foi diagnosticado com uma doença terminal que o matará daqui a seis anos, você se encheria de pesar e tentaria consolá-lo. Mas, sem perceber, talvez você esteja desperdiçando seus anos de vida também.

Se você pudesse dobrar o número de horas em que está realmente vivo a cada dia, estaria, no fundo, dobrando sua expectativa de vida. Seria como viver até os 130 anos. Agora imagine como seria triplicar ou quadruplicar o tempo que passa plenamente atento! Algumas pessoas gastam centenas de milhares de reais em medicamentos e vitaminas sem efeitos comprovados para ganhar uns poucos anos a mais. Outras financiam pesquisas para tentar aumentar a expectativa da vida humana. Mas você pode alcançar o mesmo efeito apenas aprendendo a viver de forma atenta – despertando para a própria vida.

Quantidade não é tudo, é claro. Mas se é verdade que as pessoas que praticam a atenção plena são menos ansiosas e estressadas, assim como mais relaxadas, realizadas e energizadas, a vida não apenas parecerá mais longa quando você desacelerar e estiver realmente presente: ela será mais feliz também.

2. Analisar x sentir

O modo Atuante precisa pensar. Ele analisa, recorda, planeja e compara. Esse é seu papel, e quase todo mundo se acha bom nisso. Passamos grande parte do tempo perdidos, desligados, sem notar o que se passa a nossa volta. A correria do mundo nos absorve de tal forma que destrói nossa percepção do agora, forçando-nos a viver mais no mundo dos nossos pensamentos do que no mundo real. E, como vimos no capítulo anterior, os pensamentos podem facilmente ser desviados para uma direção perigosa. Isso nem sempre ocorre, mas é um risco constante.

A atenção plena é uma forma diferente de experimentar o mundo. Não é como pegar um caminho novo; estar plenamente atento é entrar em contato com seus sentidos, de modo que possa ver, ouvir, tocar, cheirar e degustar as coisas que você já conhece como se fosse a primeira vez. Você se torna curioso de novo. Esse contato sensorial direto com o mundo pode parecer trivial de início. No entanto, quando você começa a *sentir* os momentos da vida comum, descobre algo fora do comum. Você cultiva uma sensação intuitiva do que está ocorrendo a sua volta, o que aumenta sua capacidade de observar as pessoas e a vida de uma nova maneira. Eis a essência da atenção plena: acordar para o que está acontecendo no mundo e dentro de você, momento a momento.

3. Lutar x aceitar

O modo Atuante envolve julgar e comparar o mundo "real" com o mundo que idealizamos em nossos sonhos e pensamentos. Ele foca a atenção na diferença entre os dois, o que acaba gerando uma insatisfação permanente.

O modo Existente, por outro lado, nos convida a suspender o julgamento temporariamente. Significa ficar de lado por um momento e observar o mundo e a vida se desenrolando, permitindo que as coisas sejam como são. Ao analisar um problema ou uma situação sem preconceitos, não somos mais forçados a chegar a uma conclusão preconcebida. Desse modo, não precisamos reduzir nossa criatividade.

Aceitação não é o mesmo que resignação. Aceitar é reconhecer que a experiência existe e, em vez de deixar que ela controle sua vida, observá-la compassivamente, sem julgá-la, criticá-la ou negá-la. A aceitação promovida pela atenção plena permite que você impeça que uma espiral negativa comece, ou, se já começou, reduza seu ímpeto. Ela nos concede a liberdade de escolher e, no processo, nos liberta da infelicidade, do medo, da ansiedade e da exaustão. Com isso, adquirimos um controle maior sobre a nossa vida. O mais importante é que nos permite lidar com os problemas da forma mais eficaz possível e no momento mais apropriado.

4. Ver os pensamentos como reais x tratá-los como eventos mentais

No modo Atuante, a mente usa as próprias criações, pensamentos e imagens como matéria-prima. As ideias são a sua moeda e adquirem valor próprio. Você pode começar a confundi-las com a realidade. Na maioria das vezes, isso faz sentido. Se você saiu para visitar um amigo, precisa ter em mente seu destino. A mente planejadora, ativa, racional levará você até lá. Não faz sentido duvidar da verdade de seu pensamento: *Vou mesmo visitar meu amigo?* Em tais situações, é necessário considerar seus pensamentos como verdadeiros.

Mas isso se torna um problema quando você está estressado. Você poderia dizer a si mesmo: *Vou enlouquecer se isso continuar. Eu deveria fazer melhor do que isso.* Você pode considerar esses pensamentos verdadeiros também. Seu astral despenca quando sua mente reage de forma rude: *Sou fraco, não presto, não sirvo para nada.* Assim, você se esforça cada vez mais, ignorando as mensagens de seu corpo castigado e o conselho de seus amigos. Os pensamentos deixaram de ser seus servos e se tornaram seu senhor – um senhor rígido e implacável.

A atenção plena nos ensina que *pensamentos não passam de pensamentos.* São eventos criados pela mente. Costumam ser valiosos, mas não são "você" ou "a realidade". São uma narração interna sobre você e seu mundo. A simples compreensão desse fato o liberta do excesso de preocupação, elucubração e ruminação, o que lhe permite enxergar um caminho claro pela vida de novo.

5. Evitar x aproximar-se

O modo Atuante resolve problemas não apenas mantendo na lembrança seus objetivos e destinos, mas também lembrando "antiobjetivos" e lugares aonde você *não* quer ir. Isso faz sentido quando, por exemplo, você vai de carro do ponto A ao ponto B, porque convém saber quais partes da cidade você deve evitar. No entanto, esse processo se torna um problema quando se trata de estados mentais dos quais você gostaria de fugir. Por exemplo, se tentar resolver o problema do cansaço e do estresse, você manterá na mente os "lugares que não deseja visitar", como a exaustão, o esgotamento e o colapso. Então, além de se sentir cansado e estressado, você começará a invocar novos medos, aumentando sua ansiedade e gerando ainda mais estresse. O modo Atuante, usado no contexto errado, conduz você passo a passo ao esgotamento e à exaustão.

O modo Existente, por outro lado, convida você a se "aproximar" das coisas que sente vontade de evitar. Instiga-o a se interessar por seus estados mentais mais difíceis. A atenção plena não diz "não se preocupe" ou "não fique triste": ela reconhece o medo, a tristeza, a fadiga e a exaustão e o encoraja a se voltar para aquelas emoções que ameaçam engoli-lo. Essa abordagem compassiva dissipa pouco a pouco o poder dos sentimentos negativos.

6. Viagem no tempo mental x permanecer no momento presente

Sua memória e sua capacidade de planejar o futuro são cruciais para o bom andamento da vida diária, mas elas sofrem distorções por causa de seu estado de espírito. Quando você está sob estresse, tende a se lembrar somente das coisas ruins, traumáticas, e a ter dificuldade de se lembrar das coisas boas, prazerosas. Algo semelhante ocorre quando você pensa no futuro: quando se sente infeliz, acha quase impossível olhar para a frente com otimismo. No momento em que esses sentimentos percorreram sua mente consciente, você deixa de perceber que não passam de memórias do passado ou de planos para o futuro. Você se perde na viagem no tempo mental.

Nós revivemos eventos passados e voltamos a sentir a dor; nós antevemos desastres futuros e sentimos seu impacto com antecedência.

A meditação treina a mente para que você conscientemente "veja" seus pensamentos quando ocorrerem, para que possa viver sua vida conforme ela se desenrola no presente. Isso não significa que você fica aprisionado no agora. Ainda consegue se lembrar do passado e planejar o futuro, mas o modo Existente permite que você os veja como são: a memória como memória e o planejamento como planejamento. Ter essa clareza evita que você seja escravo da viagem no tempo mental. Você consegue impedir a dor de reviver o passado e de se preocupar com o futuro.

7. Atividades exaustivas x tarefas revigorantes

Quando você está preso no modo Atuante, não é apenas o piloto automático que o impele: você tende a se envolver em projetos pessoais e profissionais importantes, e em tarefas exaustivas como cuidar da casa, dos filhos, dos pais idosos. Essas atividades costumam ser válidas, mas por demandarem tanto tempo é fácil concentrar-se nelas e excluir todo o resto, inclusive sua saúde e seu bem-estar. De início, você pode tentar convencer-se de que tudo isso é temporário e de que você está disposto a abrir mão dos hobbies e passatempos que nutrem sua alma. Mas desistir dessas coisas pode esgotar seus recursos internos aos poucos e levá-lo a se sentir vazio, apático e exausto.

O modo Existente restaura o equilíbrio, ajudando-o a identificar as atividades que o revigoram e aquelas que o esgotam. Ele o faz perceber que necessita de tempo para renovar sua alma e proporciona o espaço e a coragem para tal. Também o ensina a lidar com as inevitáveis tarefas do dia a dia que drenam a energia de sua vida.

MUDANÇA CONSCIENTE DE MARCHA

A meditação da atenção plena ensina a sentir as sete dimensões delineadas anteriormente e, com isso, ajuda a reconhecer em que modo sua mente está operando. Ela age como um alarme suave que avisa, por exemplo, quando você está analisando demais uma situação e lembra que existe uma alternativa: você ainda tem opções, por mais infeliz ou estressado que esteja. Ou seja, se sente que está emaranhado no excesso de análises e críticas, a atenção plena pode torná-lo mais aberto e fazê-lo aceitar a dificuldade com receptividade e curiosidade.

Agora podemos lhe revelar um segredo: se você mudar ao longo de *qualquer* uma dessas dimensões, as outras mudarão também. Por exemplo, durante o programa de atenção plena, você pode praticar a receptividade e se tornará menos crítico. Você pode praticar a permanência no presente e passará a interpretar seus pensamentos de forma menos literal. Se olhar para si mesmo com generosidade, também terá mais empatia pelos outros. E, ao fazer todas essas coisas, uma sensação de entusiasmo, energia e equilíbrio surgirá como uma fonte de água límpida há muito esquecida.

Embora as meditações ensinadas neste livro ocupem apenas vinte a trinta minutos de "tempo de relógio" a cada dia, os resultados podem ter um impacto em toda a sua vida. Você logo perceberá que, embora certo grau de comparação e julgamento seja necessário, nossa civilização dá valor excessivo a essas coisas. Muitas escolhas que fazemos no dia a dia são desnecessárias. Elas são impelidas por seu fluxo de pensamentos. Você não precisa se comparar aos outros. Não precisa comparar seu padrão de vida atual com uma visão fictícia de futuro ou uma lembrança romantizada do passado. Não precisa ficar acordado à noite avaliando o impacto que um comentário casual, feito durante uma reunião de trabalho, causará em seu emprego. Apenas aceite a vida como ela é, e você se sentirá mais realizado e livre de preocupações. E quando precisar tomar alguma atitude, a decisão mais sábia provavelmente surgirá em sua mente no momento em que você não estiver pensando no assunto.

Precisamos enfatizar outra vez que aceitação atenta *não* é resignação. Não é aceitar o inaceitável. Nem é uma desculpa para ser preguiçoso e não fazer nada com sua vida, seu tempo, seus talentos e seus dons inatos. (O trabalho significativo, seja remunerado ou não, é uma forma segura de promover a felicidade.) A atenção plena é uma "recuperação dos sentidos", uma consciência que começa a vir à tona espontaneamente quando você reserva tempo para praticá-la. Ela permite que você experimente o mundo pelos sentidos - com calma e sem espírito crítico. Proporciona uma grande sensação de perspectiva, que o ajuda a sentir o que é importante ou não.

No longo prazo, a atenção plena o encoraja a tratar a si mesmo e aos outros com compaixão. Isso o liberta da dor e da preocupação, e em seu lugar surge uma sensação de felicidade que se propaga à vida diária. Não é o tipo de felicidade que se dissipa à medida que você se torna imune às alegrias. Pelo contrário, é um estado permanente de contentamento que invade sua rotina.

Um dos aspectos mais espantosos da meditação da atenção plena é que você consegue ver seus efeitos positivos alterando o funcionamento cerebral. Avanços científicos recentes nos permitem ver que as áreas do cérebro associadas às emoções positivas – como felicidade, empatia e compaixão – se tornam mais fortes e ativas quando as pessoas meditam. As novas tecnologias de imagem conseguem mapear redes críticas do cérebro sendo ativadas, quase como se estivessem brilhando e vibrando com uma vida renovada. Com essa reenergização promovida pela meditação, a infelicidade, a ansiedade e o estresse começam a se dissolver, deixando uma sensação profunda de revigoramento. Mas você não precisa passar anos meditando para constatar esses benefícios: cada minuto conta. Pesquisas mostraram que já é possível sentir seus efeitos se você se dedicar à prática diária por um período de oito semanas.[4]

Durante muitos anos acreditou-se que todos temos uma espécie de "termostato emocional", que determina nosso grau de felicidade na vida. Presumivelmente, algumas pessoas teriam um temperamento feliz, enquanto outras teriam um temperamento infeliz. Embora grandes acontecimentos, como a morte de um ente querido ou ganhar na loteria, possam alterar de forma significativa o nosso estado de humor, às vezes por semanas ou meses a fio, sempre se supôs que havia um ponto de referência ao qual retornaríamos. Esse ponto de referência emocional estaria codificado em nossos genes ou seria fixado na infância. Em outras palavras: algumas pessoas nasciam felizes e outras não.

Anos atrás, porém, esse pressuposto foi abalado por Richard Davidson, da Universidade de Wisconsin, e Jon Kabat-Zinn, da Faculdade de Medicina da Universidade de Massachusetts. Eles descobriram que a prática da atenção plena permitia às pessoas escaparem da atração gravitacional de seu ponto de referência emocional. O trabalho deles nos ofereceu a possibilidade extraordinária de alterar permanentemente nosso nível de felicidade.

Essa descoberta tem suas raízes no trabalho do Dr. Davidson sobre a indexação (ou mensuração) da felicidade de uma pessoa por meio do exame da atividade elétrica em diferentes partes do cérebro, usando sensores no couro cabeludo ou por meio de ressonância magnética.[5] Ele descobriu que quando as pessoas estão emocionalmente perturbadas – zangadas, ansiosas ou deprimidas –, o córtex pré-frontal direito se ilumina mais do que a parte equivalente do cérebro situada à esquerda. Quando as pessoas estão num astral positivo – contentes, entusiasmadas, radiantes –, o córtex pré-frontal esquerdo se ilumina mais do que o direito. Essa pesquisa levou o Dr. Davidson a conceber um "índice de humor" baseado na relação entre a atividade elétrica nos córtices pré-frontais esquerdo e direito. Essa relação consegue prever seu estado de ânimo diário com grande precisão. É como dar uma espiada no termostato emocional – se a relação tende para a esquerda, é provável que você esteja feliz, contente e energizado. Esse é o sistema da "abordagem". Se a relação tende para a direita, a probabilidade é de que você esteja mais sombrio, desanimado e sem energia. É o sistema da "fuga".

Davidson e Kabat-Zinn decidiram estender o trabalho e examinar os efeitos da atenção plena nos termostatos emocionais de um grupo de trabalhadores de biotecnologia.[6] Os voluntários praticaram a meditação da atenção plena por oito semanas. Então algo incrível aconteceu: eles não apenas ficaram menos ansiosos, mais contentes, mais energizados e mais envolvidos com seu trabalho, como também o índice de ativação do cérebro deles passou a tender para a esquerda. Surpreendentemente, o sistema da abordagem continuou operando mesmo quando eles foram expostos a músicas melancólicas e a lembranças do passado que os deixavam tristes. A tristeza gerada nesses momentos deixou de ser vista como um inimigo e passou a ser encarada como algo amigável, passível de ser administrado. Ficou claro não só que a prática da atenção plena aumenta os níveis de felicidade (e reduz o estresse), como também que essa mudança se reflete na forma como o cérebro funciona. Isso sugere que a atenção plena tem efeitos positivos que criam raízes profundas no cérebro.

Outro benefício inesperado foi que o sistema imunológico dos voluntários se fortaleceu. Os pesquisadores ministraram uma injeção com o vírus da gripe nos participantes e depois mediram a concentração de anticorpos específicos que haviam sido produzidos por cada um. Aqueles cujo cérebro mostrava maior tendência ao sistema da abordagem tiveram o sistema de defesa mais estimulado.

Mas um trabalho ainda mais interessante estava por vir. A Dra. Sarah Lazar, do Hospital Geral de Massachusetts, descobriu que quando as pessoas continuam meditando por vários anos, essas mudanças positivas alteram a *estrutura física* do cérebro[7]. O termostato emocional é reiniciado – para melhor. Isso significa que, com o tempo, você terá mais tendência a se sentir feliz em vez de triste, despreocupado em vez de agressivo, energizado em vez de cansado e apático. Essa mudança nos circuitos cerebrais é mais pronunciada numa parte da superfície do cérebro conhecida como ínsula, que controla muitas das características centrais à nossa humanidade (veja quadro a seguir).[8]

A ínsula e a empatia

Pesquisas científicas usando imagens cerebrais feitas por ressonância magnética mostram que a ínsula é energizada por meio da meditação.[9] É uma descoberta significativa, porque essa parte do cérebro é essencial para a conexão humana, reforçando a empatia de forma profunda. A empatia permite que você "penetre na alma dos outros", entendendo o sofrimento deles "de dentro". Com ela, surgem a compaixão e a bondade. Se você olhasse dentro do seu cérebro usando um tomógrafo, veria que essa área fica cheia de vida quando você está emocionalmente conectado a outra pessoa.[10] A meditação, além de fortalecer essa região cerebral, também a ajuda a crescer e se expandir.

Mas por que isso é importante? Além de benéfica para a sociedade e a humanidade, a empatia é boa para *você*. Sentir empatia, assim como compaixão e ternura, é altamente positivo para a saúde e o bem-estar. Quanto mais uma pessoa medita, mais desenvolvida é sua ínsula. No entanto, oito semanas de treinamento em atenção plena são suficientes para promover mudanças no funcionamento dessa área crítica do cérebro.[11]

Numerosos testes clínicos mostram que esses efeitos positivos sobre o cérebro se traduzem em benefícios para a felicidade, o bem-estar e a saúde. Veja alguns exemplos a seguir.

Outros benefícios comprovados da meditação

Diversos centros de pesquisa ao redor do mundo continuam descobrindo os benefícios da meditação da atenção plena sobre a saúde física e mental. Eis alguns deles:

Atenção plena, ternura e positividade

A professora Barbara Fredrickson e seus colegas da Universidade da Carolina do Norte provaram que a meditação concentrada na ternura por si mesmo e pelos outros reforça as emoções positivas, levando a uma sensação de maior prazer pela vida. Após nove semanas de treinamento, os meditadores desenvolvem uma sensação de propósito e têm menos sentimentos de isolamento e alienação, além de apresentar menos sintomas de doenças como dores de cabeça, dor no peito, congestão e fraqueza.[12]

Diferentes aspectos da atenção plena afetam diferentes humores

Cada uma das meditações deste livro produz um tipo de benefício diferente – embora intimamente associados. Por exemplo, uma pesquisa do Centro Médico Universitário em Groningen, Países Baixos, mostrou que as melhoras na positividade e no bem-estar têm uma relação direta com o ato de estar mais consciente das atividades diárias, de observar e prestar atenção às experiências comuns e de agir de forma menos automática. Por outro lado, a redução da negatividade está mais relacionada ao ato de aceitar pensamentos e emoções sem julgamento e de aprender a estar aberto aos sentimentos dolorosos.[13]

Atenção e autonomia

Kirk Brown e Richard Ryan, da Universidade de Rochester, Nova York, descobriram que pessoas mais atentas são mais autônomas. Ou seja, não fazem coisas porque os outros querem ou porque se sentem pressionadas. Não se envolvem em tarefas de que não gostam apenas para dar uma boa impressão ou para se sentir melhor em relação a si mesmas. Pelo contrário, aqueles que são atentos passam mais tempo fazendo coisas que realmente valorizam, que acham divertidas ou interessantes.

Meditação e saúde física

Numerosos testes clínicos recentes mostraram que a meditação pode ter um efeito profundamente positivo sobre a saúde física.[14] Um estudo de 2005, financiado pelo National Institutes of Health dos Estados Unidos, descobriu que a forma de meditação que vem sendo praticada no Ocidente desde a década de 1960, a Meditação Transcendental, leva a uma redução substancial na taxa de mortalidade. Comparado ao grupo-controle (grupo de indivíduos estatisticamente idênticos àqueles estudados e que não recebem qualquer tratamento, para servir de referência ao grupo experimental), a taxa de mortalidade diminuiu em 23% durante os dezenove anos em que o estudo foi realizado. Houve uma redução de 30% nas mortes por doenças cardiovasculares e de 49% nas mortes por câncer.[15] Esse efeito equivale à descoberta de uma classe de remédios inteiramente nova (mas sem os efeitos colaterais inevitáveis).

Meditação e depressão

Pesquisas mostraram que um curso de oito semanas de terapia cognitiva com base na atenção plena – que está no núcleo do programa deste livro – reduz substancialmente a incidência de crises depressivas. De fato, ela reduz as chances de recaída em 40% a 50% nas pessoas que já sofreram três ou mais episódios de depressão.[16] Trata-se da primeira demonstração de que um tratamento psicológico, iniciado enquanto as pessoas ainda estão bem, consegue impedir a recaída. No Reino Unido, o Instituto

Nacional de Excelência Clínica agora recomenda a terapia cognitiva com base na atenção plena para aqueles com histórico de três ou mais crises em suas Diretrizes para a Gestão da Depressão. Pesquisas de Maura Kenny e Stuart Eisendrath também indicaram que essa forma de terapia pode ser uma estratégia eficaz para as pessoas que não apresentam melhora clínica com outros tratamentos, como medicação antidepressiva ou terapia cognitiva.[17]

Meditação versus antidepressivos

Com frequência nos perguntam se a atenção plena pode ser usada junto com os antidepressivos ou no lugar deles. A resposta às duas perguntas é sim. Pesquisas da clínica do professor Kees van Heeringen, em Ghent, Bélgica, sugerem que a atenção plena pode ser realizada mesmo enquanto as pessoas estão sob medicação. Descobriu-se que essa prática reduz as chances de recaída de 68% para 30%, embora a maioria (uma proporção semelhante nos grupos da terapia cognitiva e no grupo-controle) estivesse tomando antidepressivos.[18] Quanto à outra questão – se a meditação pode ser uma alternativa à medicação –, Willem Kuyken e seus colegas da Universidade de Exeter[19] demonstraram que as pessoas que abandonaram o uso de antidepressivos e fizeram um curso de oito semanas de terapia cognitiva ficaram tão bem ou melhor do que aqueles que prosseguiram com a medicação.

ATENÇÃO PLENA E RESILIÊNCIA

Descobriu-se que a atenção plena aumenta a resiliência – ou seja, a capacidade de resistir aos golpes e reveses da vida – num grau considerável. Essa capacidade de resistência varia muito de pessoa para pessoa. Algumas se saem bem em desafios estressantes que intimidariam muitas outras, como bater altas metas de desempenho no trabalho, acampar no Polo Sul ou cuidar de três filhos, da casa e do emprego.

O que faz com que pessoas "resistentes" sejam capazes de enfrentar as adversidades enquanto as outras se desesperam diante delas? A Dra. Suzanne Kobasa, da City University de Nova York, identificou três traços psicológicos envolvidos nesse processo: *controle*, *compromisso* e *desafio*. Outro psicólogo eminente, Dr. Aaron Antonovsky, também tentou definir os principais aspectos psicológicos que permitem que algumas pessoas suportem uma tensão extrema, enquanto outras não. Ele concentrou seus estudos em sobreviventes do Holocausto e encontrou três traços que se combinam para gerar uma sensação de coerência: *inteligibilidade*, *maneabilidade* e *significabilidade*. Assim, as pessoas "fortes" acreditam que os acontecimentos têm um *significado*, que são capazes de *manejar* sua vida e que a situação é *compreensível*, ainda que pareça caótica e descontrolada.

De certa forma, todos os traços identificados por Kobasa e Antonovsky definem nosso grau de resiliência. Em termos gerais, quanto mais forte for nossa tendência a essas características, maior será nossa capacidade de enfrentar as provações e adversidades da vida.

A equipe de Jon Kabat-Zinn, da Faculdade de Medicina da Universidade de Massachusetts, decidiu testar se a meditação conseguia melhorar essa tendência e, portanto, aumentar a capacidade de resiliência das pessoas. Os resultados foram claros. Em geral, os participantes não apenas se sentiram mais felizes, mais energizados e menos estressados, como também ganharam mais controle sobre sua vida. Descobriram que ela fazia sentido e que os desafios podiam ser vistos como oportunidades, não como ameaças. Outros estudos confirmaram essas descobertas.[20]

Mas talvez a descoberta mais intrigante sobre o assunto seja que esses traços de personalidade não são imutáveis. Eles podem ser mudados para melhor em apenas oito semanas de treinamento em atenção plena. Essas transformações não devem ser subestimadas, pois têm uma enorme importância para nossa vida diária. A empatia, a compaixão e a serenidade são vitais para o nosso bem-estar, mas certo grau de força e resistência também é necessário. E a prática da atenção plena pode ter um papel crucial nesses aspectos da vida.

Os estudos realizados em laboratórios e clínicas do mundo inteiro estão mudando a maneira como os cientistas pensam sobre a mente e vêm aumentando a confiança das pessoas nos benefícios da atenção plena. Muitos praticantes contam que a meditação aumenta a alegria diária. Isso significa que mesmo as coisas mais simples podem voltar a ser cativantes. É por isso que uma de nossas práticas favoritas é a Meditação do Chocolate. Por que você não experimenta agora, antes de começar o programa de oito semanas? Você se surpreenderá com o que vai descobrir.

Meditação do Chocolate

Escolha um chocolate – um tipo que você nunca provou antes ou que não tenha comido recentemente. Pode ser amargo, orgânico, ao leite, importado ou barato: o importante é escolher um tipo que você não consumiria normalmente ou que não costuma comer.

- Abra a embalagem. Inale o aroma. Deixe que ele o domine.
- Quebre um pedaço e observe. Deixe que seus olhos examinem cada detalhe.
- Coloque um pedaço na boca. Mantenha-o sobre a língua e deixe-o derreter, observando se você tem vontade de sugá-lo. O chocolate possui mais de trezentos sabores diferentes. Veja se consegue sentir alguns.
- Caso perceba sua mente divagando, apenas observe para onde ela foi, depois a conduza suavemente de volta ao momento presente.
- Quando o chocolate derreter por completo, engula-o de forma lenta, atenta. Deixe que escorra garganta abaixo.
- Repita isso com o próximo pedaço.

Como você se sentiu? O chocolate pareceu mais gostoso do que se você o tivesse comido no ritmo apressado habitual?

CAPÍTULO QUATRO

Apresentação do programa de oito semanas

Os próximos capítulos deste livro mostram como acalmar a mente e aumentar a felicidade por meio da meditação da atenção plena. Eles o conduzirão por um caminho que inúmeros filósofos trilharam no passado e que hoje a ciência comprova ser bastante eficaz para dissipar a ansiedade, o estresse, a infelicidade e a sensação de exaustão.

Cada um dos oito capítulos a seguir possui dois elementos: o primeiro é uma meditação (ou uma série de meditações mais curtas) que você deverá praticar por vinte a trinta minutos todos os dias, usando o CD que acompanha este livro. O segundo é um "Liberador de Hábitos", que o ajuda a desfazer hábitos arraigados. Esses Liberadores de Hábitos têm o objetivo de despertar sua curiosidade inata, e em geral envolvem atividades divertidas, como escolher um filme aleatoriamente no cinema ou mudar o lugar onde você costuma se sentar nas reuniões. Essas tarefas podem parecer fúteis, mas são eficazes para romper hábitos que o aprisionam em formas negativas de pensar. Você deverá realizar um dos Liberadores de Hábitos por semana. Eles o tirarão da rotina e o levarão a explorar novas avenidas da vida.

O ideal é que cada prática de meditação seja realizada em seis de cada sete dias. Se, por algum motivo, você não conseguir realizar nenhuma das seis sessões numa determinada semana, pode simplesmente fazê-las na semana subsequente. Por outro lado, se você perdeu apenas algumas sessões, pode passar para a meditação da semana seguinte. A escolha é sua. Não é essencial que você complete o curso em oito semanas, mas é importante que complete o programa se quiser obter o máximo benefício da atenção plena.

Para facilitar, a "prática da semana" de cada capítulo está destacada do restante do texto. Assim fica mais simples ler o livro inteiro antes de começar a fazer as meditações. No entanto, sugerimos que você releia os capítulos correspondentes quando iniciar a prática, de modo que possa entender os objetivos e as intenções de cada exercício.

Nas primeiras quatro semanas do programa, a ênfase é em aprender a prestar atenção em diferentes aspectos do mundo interno e externo. Você também aprenderá a usar a Meditação do Espaço de Respiração de três minutos (ver p. 109) para se reequilibrar durante o dia ou sempre que sentir que a vida está exigindo demais. Ela ajuda a consolidar as lições aprendidas durante as práticas mais longas. Muitas pessoas afirmam que essa é uma das práticas mais importantes para recuperar o controle sobre a vida.

As quatro semanas restantes se baseiam nesse conceito e oferecem meios de ver os pensamentos como eventos mentais e de cultivar uma atitude de aceitação, compaixão e empatia em relação a si mesmo e aos outros. E, desse estado mental, tudo o mais se segue.

Resumo do programa semana a semana

A **semana um** ajuda a perceber o piloto automático em funcionamento e encoraja a explorar o que acontece quando você "desperta". Nesta semana a *Meditação do Corpo e da Respiração* vai estabilizar sua mente e mostrar a diferença que faz quando você se concentra plenamente em uma coisa de cada vez. Outra meditação mais curta vai ajudá-lo a se reconectar com seus sentidos e a comer com atenção. Embora ambas as práticas sejam bem simples, fornecem a base essencial sobre as quais as outras meditações serão fundamentadas.

A **semana dois** usa uma meditação simples, a da *Exploração do Corpo*, para ajudá-lo a explorar a diferença entre *pensar* sobre uma sensação e *experimentá-la*. Passamos grande parte do tempo vivendo "em nossa cabeça" e nos esquecemos de experimentar o mundo através dos nossos sentidos. Essa meditação vai treinar sua mente para que você possa direcionar sua atenção para as sensações corporais, sem julgar ou analisar o que encontra. Isso o fará ver com clareza quando a mente começar a divagar, e, aos poucos, você vai aprender a diferença entre a "mente pensativa" e a "mente sensitiva".

A **semana três** se baseia nas sessões anteriores aliadas a algumas práticas de Movimento Atento da ioga. Esses movimentos, embora não sejam complexos, permitem que você enxergue melhor quais são seus limites físicos e mentais e como você reage quando os atinge. Você aprenderá que seu corpo é extremamente sensível a emoções perturbadoras quando seu principal objetivo se torna alcançar as metas – e isso vai fazê-lo perceber quão tenso, zangado ou infeliz você fica quando as coisas não acontecem do jeito que você quer. Esse é um sistema de advertência antecipado profundamente poderoso que lhe dá a chance de evitar que seus problemas ganhem uma proporção irreversível.

A **semana quatro** apresenta uma meditação de *Sons e Pensamentos*, que revela como você pode ser involuntariamente sugado pelo "excesso de análise". Você aprenderá a ver seus pensamentos como eventos mentais que vão e vêm, assim como os sons. Você também descobrirá que "a mente está para o pensamento como o ouvido está para o som". Isso vai ajudá-lo a enxergar seus pensamentos e sentimentos de "fora", vendo-os chegar e partir. Isso aumentará sua consciência sobre eles e o encorajará a ver suas atividades e seus problemas por uma perspectiva diferente.

A **semana cinco** apresenta a *Meditação de Explorar as Dificuldades*, que ajuda a enfrentar (em vez de evitar) os contratempos que surgem em sua vida de tempos em tempos. Muitos dos nossos problemas se resolvem sozinhos, mas alguns precisam ser encarados com abertura, curiosidade e compaixão. Se você não abraça essas dificuldades, elas podem atrapalhar ainda mais sua vida.

A **semana seis** mostra como os pensamentos negativos são dissipados quando você cultiva a ternura e a compaixão por meio de atos de generosidade e da prática da *Meditação da Amizade*. Nutrir uma postura amigável em relação a si mesmo – inclusive em relação àquilo que você vê como seus "fracassos" e "insuficiências" – é a base para encontrar a paz neste mundo frenético.

A **semana sete** explora a estreita relação entre nossa rotina, nossas atividades, nosso comportamento e nosso humor. Quando estamos estressados ou exaustos, costumamos abrir mão das coisas que nos "revigoram" para dar lugar àquelas mais "urgentes" e "importantes". Tentamos "nos preparar para agir". A meditação desta semana enfoca o uso da meditação para fazer escolhas melhores, de modo que você possa fazer mais coisas que lhe dão prazer e limitar os efeitos daquelas que drenam seus recursos. Isso irá gerar um círculo virtuoso que trará maior criatividade, resiliência e capacidade de aproveitar a vida como ela é. A ansiedade, o estresse e as preocupações continuarão existindo, mas tendem a se desfazer conforme você aprende a encará-los com gentileza.

A **semana oito** ajuda a entrelaçar a atenção plena a sua vida diária, para que ela esteja sempre presente quando você mais precisar dela.

Durante as oito semanas do programa, ressaltamos as dimensões do modo Existente (explicado no Capítulo Três) para que você aprenda o que acontece quando se torna realmente desperto. Embora pareça que cada semana ensina um aspecto diferente da atenção plena, na verdade todos estão inter-relacionados. Como dissemos anteriormente, mudar uma dimensão também modifica as outras. Por isso você será convidado a fazer muitas práticas e a persistir em cada uma por pelo menos uma semana – pois cada uma proporciona uma nova porta de entrada para a consciência, e ninguém pode prever qual será mais útil para ajudá-lo a se reconectar com o que há de mais profundo e sábio dentro de você.

LIBERADORES DE HÁBITOS

Os Liberadores de Hábitos têm como base práticas simples que, como o nome sugere, desfazem os hábitos que o aprisionam em formas negativas de pensar. Eles livram você da rotina estressante e lhe apontam um novo mundo a ser explorado. Além disso, aprofundam um conceito que você aprenderá com as meditações: é difícil ser curioso e infeliz ao mesmo tempo. Despertar sua curiosidade inata é uma forma maravilhosa de lidar com a correria e o caos em que nos acostumamos a viver. Você descobrirá que, embora se sinta pobre de tempo, poderá se tornar rico em momentos.

RESERVANDO TEMPO E ESPAÇO PARA MEDITAR

Antes de começar o programa de atenção plena, passe um momento examinando como se preparar. Reserve um período de oito semanas em que, todos os dias, você possa dedicar algum tempo às meditações e outras práticas propostas. Cada passo do programa introduz elementos novos, de modo que ao longo desse período você seja capaz de aprofundar seu aprendizado diariamente.

É importante separar um tempo para os exercícios e seguir as instruções da melhor maneira possível, ainda que pareçam difíceis, enfadonhas ou repetitivas. Em geral, quando não gostamos de algo, ficamos tentados a trocá-lo por alguma coisa mais interessante. Esse programa, no entanto, sugere uma abordagem diferente: use sua mente inquieta e agitada como uma oportunidade de olhar de forma mais profunda para ela mesma, e não como uma razão imediata para concluir que a meditação "não está funcionando". Lembre-se de que sua intenção não é atingir uma meta. Pode soar estranho, mas sua meta não é relaxar. O relaxamento, a paz e o contentamento são os *subprodutos* do que você está fazendo, não seu objetivo.

Portanto, como começar?

A primeira coisa a fazer é encarar esses momentos diários como um tempo para *ser* você e *para* você. De início pode ser difícil encontrar um espaço na sua agenda para meditar. Uma dica valiosa: reconheça que você *não tem tempo livre para isso*. Portanto, você não *achará* tempo, mas terá de *criá-lo*. Se você tivesse meia hora livre todo dia, já a teria destinado a outras obrigações. Mas durante essas oito semanas, o compromisso com este programa vai exigir certa reorganização de sua vida. Pode ser complicado a princípio, mas isso precisará ser feito para que a prática não seja atropelada por outras demandas supostamente mais importantes. Talvez você tenha que acordar um pouquinho mais cedo – e, neste caso, é bom que vá para a cama mais cedo também, para que a prática não sacrifique seu sono. Se você acredita que a meditação irá ocupar tempo demais, faça um teste para confirmar o que todos relatam: ela libera mais tempo do que consome. Quem sabe você descobre que será recompensado com *mais tempo livre*?

A segunda coisa a fazer é encontrar um local confortável e pedir às pessoas ao redor que evitem interrompê-lo e resolvam outras coisas por você durante sua prática. Se o telefone tocar e não houver ninguém para atender, deixe tocar ou espere que a chamada seja encaminhada para a caixa postal. Interrupções semelhantes também podem surgir "de dentro", com pensamentos sobre algo que você precisa fazer – *naquele exato momento*. Caso isso aconteça, experimente deixar que as ideias e os planos cheguem e partam sozinhos, sem que você tenha que reagir de imediato a eles.

Finalmente, é importante lembrar que você não precisa achar a prática divertida (embora muitas pessoas achem agradável, mas não de uma forma óbvia). Faça os exercícios dia após dia, até se tornarem rotineiros – na verdade, você verá que a prática nunca é rotineira. Você é o único responsável por ela, portanto o resultado será totalmente individual. Ninguém pode saber de antemão o que há para ser descoberto no momento presente e o que você sentirá quando a paz e a liberdade começarem a se revelar.

Do que mais vou precisar?

Você precisará de um aparelho de CD ou MP3 (caso baixe as faixas pelo site); um quarto ou outro espaço onde não seja perturbado; uma esteira ou tapete confortável para se deitar; uma cadeira, banco ou almofadão para se sentar; papel e lápis ou caneta para tomar notas quando for necessário.

Uma palavra de advertência

Antes de começar, é importante saber que ao longo do programa você poderá sentir que fracassou em alguns momentos. Sua mente se recusará a se acalmar, disparando como um galgo atrás de uma lebre. Surgirá um caldeirão de pensamentos borbulhantes. Você poderá ter sono e ser invadido por um torpor que tornará difícil se manter acordado. Haverá momentos de desespero, em que você colocará as mãos na cabeça e pensará: *Isso não vai funcionar.*

Mas esses momentos não são sinais de fracasso. São profundamente importantes. Como qualquer atividade que você esteja aprendendo – como pintar ou dançar – é meio frustrante ver que os resultados não corresponderam ao que você esperava. Nesses momentos, persista com empenho e compaixão. Você aprenderá com esses "fracassos". Só o fato de perceber que sua mente disparou ou que você está inquieto ou sonolento já é um grande aprendizado. Você está começando a entender uma verdade profunda: a mente possui atividade própria e o corpo tem necessidades que ignoramos quase todo o tempo. Aos poucos você compreenderá que seus pensamentos não são você – portanto não precisa levá-los tão a sério. Você pode simplesmente observá-los surgir, perdurar um pouco e depois se dissolver. É libertador perceber que seus pensamentos não são "reais". São meros fenômenos mentais. Não são *você.*

No momento em que perceber isso, os padrões de pensamentos e sentimentos que o prendiam podem perder a força e permitir que sua mente se aquiete. Uma sensação profunda de contentamento invadirá seu corpo. Mas logo sua mente vai começar a divagar de novo. Então você se conscientizará outra vez de que está pensando, analisando, julgando. E vai ficar desapontado, pensando coisas como: *Achei que tivesse conseguido... mas não...* Enfim você perceberá que a mente é como o mar: nunca fica parada. Ela pode se acalmar de novo... ao menos por um momento. Pouco a pouco, os períodos de tranquilidade ficarão mais longos, e o tempo que leva para você perceber que sua mente disparou ficará menor. Até o desapontamento poderá ser reconhecido como um estado mental: agora aqui, depois desaparecendo...

> Até que a pessoa se comprometa, existe hesitação, chancc dc desistir e ineficácia. Há uma verdade elementar – cuja ignorância nos faz abrir mão de inúmeras ideias e grandes planos – que precisa ser aprendida: no momento em que a pessoa realmente se compromete, a Providência também entra em ação. Coisas que em geral não aconteceriam passam a ocorrer para ajudá-la em seu objetivo. Todo um fluxo de eventos resulta da decisão do compromisso, evocando a seu favor incidentes, encontros e auxílios imprevistos. Aprendi a respeitar profundamente um dos dísticos de Goethe:
>
> "Tudo o que pode fazer ou sonha que pode, comece.
> A audácia contém gênio, poder e magia."
>
> W. H. MURRAY, *The Scottish Himalayan Expedition*, 1951

Nos próximos capítulos, nossa mensagem às vezes pode parecer nebulosa. Talvez você sinta que não está conseguindo compreendê-la direito. A razão disso é que muitos dos conceitos e das lições obtidas pela meditação são inexprimíveis em qualquer idioma. É necessário fazer as práticas e aprender por si mesmo. Se o fizer, vez por outra terá um "momento A-há!" – um insight profundamente calmante e esclarecedor. Então você entenderá que preocupações, estresses e ansiedades podem ser mantidos num espaço maior, onde surgem e se dissipam, enquanto você aproveita a sensação de estar completo e inteiro. Muitas pessoas contam que, ao completar o programa de oito semanas, descobrem que essa sensação de calma, felicidade, liberdade e contentamento está sempre disponível para elas – a apenas uma respiração de distância.

Desejamos a você boa sorte ao trilhar este caminho.

CAPÍTULO CINCO

Semana um: acordar para o piloto automático

Certa noite, Alex se arrastou escada acima até seu quarto. Ainda estava refletindo sobre o seu dia de trabalho enquanto se despia e colocava o pijama. Seus pensamentos saltitavam de um assunto para outro. Logo fixaram-se em um serviço que ele precisaria fazer fora da cidade na tarde seguinte. Depois ele pensou na melhor maneira de chegar lá de carro evitando as obras na estrada. O carro! Lembrou que o seguro do carro estava vencendo. Em seguida, pensou no cartão de crédito. Será que pagou a conta? Achou que sim. Lembrou-se da fatura impressa que incluía a reserva do hotel para o grande evento do próximo mês. Sem se dar conta, já estava pensando no casamento da filha, que ia acontecer em breve.

– Alex! – gritou a esposa. – Está pronto? Estamos esperando, está na hora de ir.

Com um sobressalto, Alex percebeu que subira para se vestir para uma festa, não para dormir.

Alex não está sofrendo de demência nem tem uma memória particularmente ruim. Está apenas vivendo no "piloto automático"; sua mente foi sequestrada pelas preocupações diárias. Esse é um problema que todos nós conhecemos bem. Já aconteceu de você estar indo para a casa de um amigo e perceber que está pegando o caminho do trabalho? Ou de começar a fazer o jantar e só depois lembrar que sua família havia combinado de pedir uma pizza? Os hábitos são assustadoramente sutis, mas podem ser muito poderosos. Sem qualquer aviso, eles podem assumir o controle de sua vida e levá-lo em uma direção diferente daquela que você pretendia. É quase como se a mente estivesse num lugar e o corpo, em outro.

O psicólogo Daniel Simons fez diversos experimentos que ilustram como nos tornamos desatentos, sempre com a cabeça em outro lugar. Em um dos estudos, escalou um ator para pedir informações a transeuntes numa rua movimentada.[1] Quando a pessoa estava dando as orientações, duas outras carregando uma grande porta se interpunham entre eles. No momento em que a visão ficava bloqueada pela porta, o ator era trocado por outro, cuja aparência era totalmente diferente. A roupa, o corte de cabelo, a voz – tudo era bastante diferente. Apesar disso, apenas metade das pessoas questionadas percebeu a troca. Isso mostra quão superficial é a atenção que prestamos nas coisas que fazemos – e quão sérios podem ser os efeitos dessa dispersão. É como se nossa mente ficasse livre de qualquer consciência, deixando o piloto automático assumir o controle.

O piloto automático pode ser inconveniente, mas não é de todo ruim. Embora possa nos derrubar de vez em quando, é uma das maiores vantagens evolutivas da espécie humana, pois nos permite evitar uma característica que todos os animais compartilham: a capacidade de só se concentrar em uma coisa de cada vez, ou, na melhor das hipóteses, prestar uma atenção intermitente a um pequeno número de coisas ao mesmo tempo. Nossa mente possui um gargalo na chamada "memória operacional" que só nos permite manter poucas informações simultaneamente. Assim que ultrapassamos o limite, os itens tendem a ser esquecidos. Um pensamento parece expulsar o outro.

Se informações de mais invadem sua mente, sua memória operacional começa a transbordar. Você começa a se sentir estressado. A vida parece se esvair por entre os dedos. Você se sente impotente, esquecido, exausto. Torna-se indeciso e cada vez mais alheio ao que ocorre a sua volta. É como um computador que vai ficando mais lento à medida que você abre mais janelas. De início você nem nota a demora, mas – uma vez transposto o limiar invisível – o computador fica cada vez mais lerdo, até congelar. Antes de finalmente pifar de vez.

A curto prazo, o piloto automático estende a memória operacional para a criação de hábitos. Se repetimos algo diversas vezes, a mente une todas as ações necessárias àquela tarefa de forma brilhante. Muitas das ações que realizamos todos os dias são complexas e requerem a coordenação de dezenas de músculos e o estímulo de milhares de nervos. Mas todas podem ser concatenadas por meio de um hábito que consome apenas uma pequena parte de sua capacidade cerebral (e uma proporção ainda menor de sua consciência). O cérebro consegue encadear vários hábitos para realizar tarefas longas e complicadas com pouquíssima participação da mente consciente. Por exemplo, se você aprendeu a dirigir em um carro com câmbio manual, provavelmente achou difícil mudar de marcha no início, mas agora consegue fazê-lo sem pensar. À medida que suas habilidades de direção aumentaram, você aprendeu a realizar simultaneamente muitas das tarefas complexas que agora considera normais. Você consegue mudar a marcha do carro sem esforço e conversar ao mesmo tempo. Esses são hábitos encadeados coordenados por seu piloto automático.

A atenção plena e o piloto automático

Alguma vez você ligou o computador para enviar um e-mail e caiu na tentação de responder a alguns outros, e acabou desligando a máquina uma hora depois sem mandar a mensagem que pretendia?

Você não tinha a intenção de fazer isso. Mas observe a consequência: quando voltar a ligar o computador, você continuará tendo que enviar a mensagem original, e também terá que checar todas as mensagens *novas* que chegaram por causa das respostas que você enviou.

Quando isso acontece, você pode achar que está fazendo um bom trabalho – "colocando ordem na casa" –, mas o que realmente fez foi acelerar o sistema de e-mail.

A atenção plena não diz "Não envie e-mails", mas pode lembrá-lo de se conectar com sua voz interior e indagar: "Era isso mesmo que eu pretendia fazer?"

Quando você está plenamente atento, tem mais controle sobre seu piloto automático e pode usá-lo para criar hábitos úteis. Por exemplo, às cinco e meia da tarde você pode ter uma série de hábitos de "fim de expediente": verificar pela última vez suas mensagens, desligar o computador e dar uma rápida olhada na bolsa para garantir que não esqueceu as chaves, o celular e a carteira. Mas é fácil perder o controle consciente do piloto automático. Um hábito pode acabar desencadeando o próximo, que desencadeia o seguinte, depois outro... Por exemplo, você pode voltar para casa após o trabalho por puro hábito e esquecer que marcou de se encontrar com um amigo para tomar um drinque. De várias maneiras aparentemente banais, os hábitos podem assumir o controle de sua vida.

Com o passar dos anos, o problema pode se agravar à medida que você dá mais poder ao piloto automático – incluindo o de controlar o que você pensa. Hábitos desencadeiam pensamentos, que desencadeiam mais pensamentos, que acabam desencadeando ainda mais pensamentos habituais. Esses pensamentos, aliados a sensações negativas, podem amplificar suas emoções. Antes que você perceba, o estresse, a ansiedade e a tristeza tomam conta de sua vida. E quando você identifica os pensamentos e sentimentos indesejados, eles já estão fortes demais para serem contidos. Um comentário desatencioso de um amigo pode deixá-lo infeliz e inseguro. Um motorista que lhe dá uma fechada no trânsito pode desencadear um acesso de raiva. Você acaba se sentindo exausto, furioso e completamente desligado do mundo. Aí você pode se sentir culpado por perder o controle, e logo é sugado por uma espiral negativa.

Você pode tentar deter a espiral de estresse procurando suprimi-lo. Pode se zangar consigo mesmo, pensando: *Sou um idiota por me sentir assim.* Mas pensar sobre seus pensamentos, sentimentos e emoções só piora o quadro. O piloto automático fica sobrecarregado com o excesso de informações. Sua mente fica mais lenta. Você fica cansado, ansioso, furioso e insatisfeito com a vida. E, como um computador superlotado, você pode congelar – ou mesmo sofrer um colapso.

Quando você atinge o ponto em que essa sobrecarga se apodera da mente consciente, torna-se difícil reverter o processo simplesmente pensando numa solução, porque isso equivale a abrir mais um programa no computador, sobrecarregando-o com mais uma janela. O que você precisa fazer é encontrar um meio de escapar do ciclo logo que perceber que ele começou. Esse é o primeiro passo para lidar melhor com a vida. Ele requer que você aprenda a ver quando o piloto automático assume o controle, de modo que possa escolher onde quer que sua mente se concentre. É necessário aprender a fechar alguns dos "programas" que ficaram rodando no fundo da sua mente. O primeiro estágio para recuperar sua atenção inata tem a ver com retornar ao básico: reaprender a se concentrar em uma coisa de cada vez.

Você se lembra da Meditação do Chocolate, no Capítulo Três? Agora explore outra vez essa sensação realizando um exercício similar, a Meditação da Passa. Você vai descobrir que prestar atenção no que está comendo pode transformar completamente essa experiência.

Você só precisa fazer essa prática uma vez, mas se sinta livre para repeti-la sempre que desejar. Depois de realizá-la, você terá dado início ao seu programa de meditação da atenção plena.

Meditação da Passa[2]

Reserve de cinco a dez minutos nos quais você possa ficar sozinho, sem ser interrompido por nada nem ninguém. Desligue o celular para não distrair sua mente. Você precisará de algumas passas (ou outra fruta desidratada ou pequenas nozes), uma folha de papel e uma caneta para registrar suas reações. Sua tarefa será comer a fruta de forma atenta, assim como fez com o chocolate antes.

Leia as instruções a seguir para saber o que é necessário e só as releia se precisar. Seu sentimento enquanto faz a meditação é mais importante do que seguir cada instrução nos mínimos detalhes. Você deve gastar de vinte a trinta segundos em cada um destes oito estágios:

1. Segurar

Pegue uma das passas e segure-a na palma da mão ou entre os dedos e o polegar. Concentre-se nela, sinta-a como se nunca tivesse segurado nada semelhante. Consegue sentir seu peso? Ela forma uma sombra na palma da mão?

2. Ver

Dedique um tempo para realmente olhar a passa. Imagine que nunca viu uma antes. Examine-a com cuidado e atenção. Deixe os olhos explorarem seus detalhes. Examine os pontos onde a luz brilha, as cavidades mais escuras, as dobras e os sulcos.

3. Tocar

Revire a passa entre os dedos, sentindo sua textura. Que sensações ela provoca em sua mão?

4. Cheirar

Agora aproxime-a do nariz e perceba o que sente a cada inspiração. Qual o seu aroma? Deixe que o cheiro penetre sua consciência. Se não houver aroma, note isso também.

5. Sentir

Leve a fruta até a boca devagar e observe como sua mão sabe exatamente aonde ir. Coloque-a dentro da boca e observe o que a língua faz para "recebê-la". Sem mastigar, perceba as sensações de tê-la na língua. Comece a explorar a fruta com a língua. Faça isso por trinta segundos ou mais, se quiser.

6. Mastigar

Quando estiver pronto, conscientemente dê uma mordida na passa e note os efeitos na fruta e na boca. Observe quaisquer sabores que ela libere. Sinta a textura enquanto seus dentes a mordem. Continue mastigando devagar, mas não engula ainda. Note o que está acontecendo em sua boca.

7. Engolir

Veja se consegue detectar a primeira intenção de engolir surgindo em sua mente. Observe essa intenção antes de realmente engolir. Note os movimentos que a língua faz a fim de se preparar para isso. Tente acompanhar as sensações da deglutição.

Caso consiga, conscientemente sinta-a descendo até o estômago. E caso não a engula de uma só vez, concentre-se na segunda ou na terceira deglutição, até acabar. Observe o que a língua faz depois que você engoliu.

8. Efeitos posteriores

Finalmente passe alguns momentos registrando os efeitos da deglutição. Existe um gosto residual? Qual a sensação da ausência da passa? Existe uma tendência automática de procurar outra?

Eis o que alguns participantes de nossos cursos disseram sobre essa experiência:

"O mais incrível para mim foi o cheiro. Eu nunca o tinha percebido antes."

"Eu me senti meio idiota, como se estivesse numa aula de artes ou algo parecido."

"Pensei que elas eram feias... pequenas e enrugadas. Mas o gosto era bem diferente do que eu costumava sentir. Foi bem legal."

"Senti mais gosto nessa única passa do que nas vinte que costumo meter na boca ao mesmo tempo sem pensar."

FRUTA PEQUENA, MENSAGEM GRANDE

Quantas vezes no passado você prestou tanta atenção consciente ao que estava fazendo? Notou como a experiência de comer uma passa foi transformada pelo simples fato de se concentrar nela? Depois de fazer esse exercício, muitas pessoas disseram que comeram com prazer pela primeira vez em anos. O que acontece com o gosto das coisas? Na correria diária, ele desaparece. Passa despercebido. Tendemos a comer passas aos montes, colocando várias na boca ao mesmo tempo, enquanto fazemos algo "mais importante". Se estivéssemos perdendo apenas o gosto, isso não teria tanta importância. Mas quando você vê a diferença que a atenção plena faz nas pequenas coisas na vida, começa a ter uma ideia do preço da desatenção. Pense em tudo o que você deveria ver, ouvir, degustar, cheirar e tocar e que está perdendo. A desatenção rouba grandes porções de sua vida. Nós só temos um momento para viver, *este* momento, mas tendemos a viver no passado ou no futuro. É raro notarmos o que está acontecendo no presente.

A Meditação da Passa é a primeira amostra do princípio central do programa de atenção plena: reaprender a trazer a consciência às atividades do dia a dia para que você possa ver a vida como ela é, desdobrando-se momento por momento. Parece simples, mas requer prática. Após esse exercício, escolha uma atividade que costuma fazer diariamente sem prestar atenção e veja se consegue usar a "mentalidade da passa" ao realizá-la nos próximos dias. Talvez você queira escolher alguma das atividades da lista a seguir e despertar para os momentos comuns da vida.

Atividades rotineiras que costumam passar despercebidas

Escolha uma das atividades abaixo (ou qualquer outra de sua preferência) e a cada dia da próxima semana tente se lembrar de estar totalmente atento a ela enquanto a realiza. Você não precisa reduzir seu ritmo nem mesmo se divertir: apenas faça o que costuma fazer, mas de forma consciente.

- Escovar os dentes;
- Andar de um aposento a outro em casa ou no trabalho;

- Beber chá, café, suco;
- Remover o lixo;
- Encher a máquina de lavar ou a secadora de roupas.

Escreva suas escolhas aqui:

____

____

Repita essa experiência com a mesma atividade todos os dias durante uma semana. Veja o que você observa. A ideia não é se sentir diferente, mas apenas estar desperto por alguns momentos. Siga o próprio ritmo. Por exemplo:

Escovar os dentes: onde está sua mente quando você escova os dentes? Preste muita atenção a todas as sensações – a pasta tocando nos dentes, o sabor da pasta, a saliva aumentando, os movimentos necessários para cuspir, etc.

Banho: preste atenção nas sensações da água em seu corpo, na temperatura, na pressão sobre a pele. Observe os movimentos da sua mão ao se lavar e a maneira como seu corpo se vira, se abaixa, etc. Caso decida aproveitar o banho para planejar ou refletir sobre algo, faça-o intencionalmente, com a consciência de que é nisso que você decidiu concentrar sua atenção.

Na próxima semana, continue esse experimento com uma atividade diferente.

Quando Alex realizou o exercício da passa, disse que subitamente percebeu quanto de sua vida estava perdendo – tanto os bons quanto os maus momentos. Perder o lado bom significava que a vida não estava sendo tão rica quanto poderia ser. "Se uma passa tinha um sabor tão melhor quando eu me concentrava nela", refletiu ele, "imagina como seria com todas as outras coisas que estou comendo e bebendo?" Ele começou a ficar triste por todas as oportunidades de degustar, ver, cheirar, ouvir e tocar que estava deixando passar despercebidas. Mas então ele parou e descobriu que tinha uma opção: poderia continuar correndo pela vida ou começar a praticar a atenção plena. Anos depois, Alex me confidenciou que comer aquela passa mudara sua vida e salvara seu casamento.

Hannah teve uma experiência diferente com a passa: "Ela me conscientizou de todos os pensamentos e sensações que passavam por minha mente e interferiam na degustação. Eu só queria parar de pensar - só por um momento. Foi uma verdadeira batalha - nem um pouco agradável."

O que Hannah viveu é bastante comum. Quando você vê claramente quão ocupada sua mente está, pode ficar abismado e começar a lutar para controlá-la.

Na prática da atenção plena, você não precisa tentar desligar a mente. A inquietude dela é, em si, um portal para a atenção plena. Em vez de tentar esvaziá-la, veja se é possível reconhecer o que está ocorrendo. Aos poucos você verá que se voltar para a agitação da mente - tornando-se plenamente consciente dela - proporciona mais opções e mais margem de manobra. Isso lhe dá liberdade para se envolver mais com a vida, lidando com as dificuldades antes que elas assumam o controle de sua mente e de sua vida.

Cada um de nós precisa descobrir isso por si mesmo.

Podemos contar isso para você. E você pode acreditar. Mas acreditar não é o mesmo que entender. A única forma de lembrar disso quando você mais precisar - nos momentos em que o mundo parecer fora de controle - é descobrindo-o por si mesmo. Repetidas vezes.

Então como colocar tudo isso em prática? Você deve aprender a prestar atenção plena nas atividades do dia a dia, como ensinamos há pouco. Mas apenas decidir mudar pode não ser suficiente. Você precisa fazer duas coisas antes. Primeiro, será necessário treinar sua mente a se concentrar. Isso requer prática, e explicaremos mais adiante o que isso implicará. Segundo, será preciso dissolver os hábitos que condicionam seu comportamento. Também falaremos sobre isso daqui a pouco.

MEDITAÇÃO DA ATENÇÃO PLENA – CORPO E RESPIRAÇÃO

Cada tradição de meditação tem início com práticas diárias que ajudam a concentrar uma mente dispersa. A forma mais fácil de começar é concentrando-se em algo que está sempre com você: o movimento da sua respiração. Por que a respiração?

Primeiro, a respiração é algo com que você não se preocupa, embora não possa viver sem ela. Você é capaz de ficar sem comida por semanas e sem água por dias, mas não consegue sobreviver por mais de alguns minutos sem a nutrição que a respiração fornece. Respiração é vida.

Segundo, de certa forma, a respiração não precisa de *nós*. A respiração respira por si. Se precisássemos nos lembrar de respirar, já teríamos esquecido há tempos. Assim, sintonizar-se com a respiração pode ser um antídoto importante à tendência natural de acreditar que precisamos estar no controle. Manter o foco na respiração nos faz ver que ocorre algo dentro de nós que depende muito pouco de quem somos ou do que queremos alcançar.

Terceiro, a respiração fornece um alvo natural e suave no qual se concentrar durante sua meditação. Ela o prende ao aqui e agora. Você não consegue respirar "daqui a cinco minutos" ou "cinco minutos atrás". Você só pode respirar *agora*.

Quarto, a respiração serve para monitorar seus sentimentos. Quando você consegue perceber claramente se sua respiração está curta ou longa, superficial ou profunda, tensa ou tranquila, começa a sentir os próprios padrões internos e escolher como agir para melhorar seu estado.

Por fim, a respiração é uma âncora para sua atenção, mostrando quando sua mente se dispersou, quando está entediada ou inquieta ou quando você está temeroso ou triste. Mesmo durante a meditação mais curta da respiração, você adquire a consciência de como as coisas são de verdade e abandona a tendência de tentar corrigi-las imediatamente. Respirar de forma atenta permite que você veja a vida como ela é e descubra a sabedoria que emerge quando não corremos para "consertar as coisas".

Sugerimos que você pratique a meditação da respiração a seguir pelos próximos seis dias. A prática leva apenas oito minutos, e é importante que você se dedique a ela ao menos duas vezes por dia. Você pode meditar sentado ou deitado, na postura que for mais adequada ao seu objetivo de permanecer desperto durante a prática. Escolha o horário mais conveniente para você. Muitas pessoas acham que os melhores momentos são de manhã e à noite, mas cabe a você decidir quando realizá-la. De início, pode ser difícil achar tempo para praticar, mas, como dissemos, a meditação acaba liberando mais tempo do que consome.

É muito importante que você se comprometa a realizar a meditação. Numerosos estudos já provaram que ela ajuda as pessoas de diversas maneiras, mas é mais eficaz quando se reserva o tempo necessário para praticá-la a cada dia. Para desfrutar de todos os seus benefícios, você precisa completar o programa de oito semanas. Entretanto, algumas pessoas se sentem mais relaxadas e felizes já no primeiro dia.

Haverá dias em que você não conseguirá realizar uma das sessões. Como a vida muitas vezes é agitada e frenética, isso não é incomum. Caso aconteça, não se critique. Se não puder realizar a prática durante um dia inteiro, não se puna – simplesmente tente compensar esse tempo mais tarde, na mesma semana. Se só conseguir realizar as meditações em três ou quatro dias, o ideal é que você comece a semana toda outra vez. Mas se não quiser repetir a semana um, passe para a semana seguinte. Talvez você queira ler o roteiro da meditação primeiro. Ele é detalhado e fornece muitas indicações das coisas às quais você deve estar consciente ao meditar. Mas veja se é possível enfocar a essência da meditação, em vez de se prender aos detalhes. Mesmo que você tenha lido as instruções completas, é melhor acompanhar as orientações do CD, para que seja conduzido pela meditação e não precise se preocupar em marcar o tempo.

Atenção plena do corpo e da respiração

Faixa 1

Embora seja melhor seguir a orientação do CD enquanto está fazendo a meditação, as instruções a seguir também serão de grande ajuda. Tente não se ater às minúcias. Como dissemos, o espírito é mais importante que o detalhe.

Acomodando-se

1. Acomode-se em uma posição confortável: seja deitado num tapete ou sentado numa cadeira ou almofada. Caso use uma cadeira, escolha uma firme, de espaldar reto (e não uma poltrona), para que possa se sentar sem tocar no encosto, com a coluna se sustentando sozinha. Caso se sente numa almofada no chão, o ideal seria que seus joelhos tocassem o assoalho, embora possa ser difícil conseguir isso no início. Procure testar a altura da almofada ou da cadeira até se sentir confortável e firme. Caso tenha alguma deficiência que o impeça de se sentar assim ou se achar desconfortável deitar de costas, encontre uma postura que seja agradável e que permita manter a sensação de estar plenamente desperto.
2. Caso se sente, deixe as costas retas, numa posição altiva. Nem rígida, nem tensa, mas confortável. Se estiver numa cadeira, mantenha os pés fixos no chão, com as pernas descruzadas. Feche os olhos se quiser. Se não, abaixe o olhar para algo a cerca de um metro a sua frente, mas sem focar a visão. Caso se deite, mantenha as pernas descruzadas, os pés afastados um do outro e os braços ligeiramente afastados do corpo, para que possa abrir as mãos e voltá-las para o teto, se for confortável.
3. Preste atenção na sensação física do seu corpo tocando o chão ou a superfície sobre a qual está sentado ou deitado. Passe alguns minutos explorando essa sensação.
4. Agora concentre a atenção nos seus pés, começando pelos dedos. Então expanda o "foco da atenção", incluindo as solas dos pés, os

calcanhares e os dorsos, até que esteja atento a todas as sensações físicas em ambos os pés, momento após momento. Passe alguns instantes concentrado nisso, observando como as sensações surgem e se dissolvem na consciência. Caso não esteja sentindo nada, simplesmente registre o vazio. Não se preocupe: você não está tentando fazer as sensações acontecerem; está apenas prestando atenção ao que já está aí.

5. Agora expanda sua atenção para incluir o restante das pernas, depois o tronco (da pelve e quadris até os ombros), em seguida o braço esquerdo, o direito, o pescoço e a cabeça.
6. Passe um ou dois minutos com a consciência do corpo inteiro. Tente permitir que seu corpo e suas sensações sejam exatamente como são. Explore como é abandonar a tendência de querer que as coisas sejam de determinada maneira. Mesmo um breve momento vendo as coisas como são – sem querer mudar nada – pode ser profundamente revigorante.

Concentrando-se na respiração

7. Agora traga seu foco para a respiração, observando o ar entrando e saindo do seu corpo. Perceba os padrões mutáveis das sensações físicas no abdômen conforme respira. Talvez seja bom pôr a mão no abdômen para senti-lo subir e descer.
8. Você pode observar sensações brandas de alongamento conforme o abdômen suavemente se eleva a cada inspiração e diferentes sensações conforme o abdômen desce a cada expiração.
9. Da melhor maneira que puder, mantenha-se atento, observando as sensações físicas mudando a cada inspiração e expiração, notando as possíveis pausas entre uma e outra.
10. Não tente controlar a respiração – deixe que ela ocorra naturalmente.

Lidando com a divagação da mente

Mais cedo ou mais tarde (geralmente mais cedo), sua atenção se afastará da respiração. Você poderá perceber pensamentos, imagens, planos ou devaneios aflorando. Isso não é um erro – é simplesmente o que a mente faz. Ao notar que sua atenção não está mais focada na respiração, parabenize-se. Você já "despertou" o suficiente para saber disso e está uma vez mais consciente de sua experiência neste momento. Reconheça até onde a mente viajou. Depois leve sua atenção de volta às sensações em seu abdômen.

E provável que sua mente divague repetidas vezes, portanto lembre-se de que seu intuito é apenas observar onde a mente esteve e trazê-la de volta. Pode parecer frustrante ter uma mente tão desobediente, mas não se culpe. Essa frustração pode criar ruído extra em sua mente. Assim, não importa quantas vezes você se desconcentre, em cada ocasião cultive a compaixão por sua mente ao fazê-la retornar para onde deveria estar. Tente ver as repetidas perambulações de sua mente como oportunidades de cultivar a paciência. Com o tempo, você descobrirá que essa gentileza traz uma sensação de compaixão em relação aos outros aspectos de sua experiência: na verdade, a mente divagante foi uma grande aliada em sua prática, e não a inimiga que você imaginava que fosse.

Continue a prática por oito minutos, ou mais tempo se desejar, lembrando a si mesmo que seu objetivo é apenas estar consciente de sua experiência a cada momento. Use as sensações do seu corpo e sua respiração como uma âncora para se reconectar com o aqui e agora cada vez que sua mente divagar.

Nossa sugestão é que você realize esta prática ao menos duas vezes por dia na primeira semana do programa de atenção plena.

Hannah seguiu as instruções do CD duas vezes por dia por uma semana. Dada sua reação à meditação da passa, não nos surpreendeu que ela tenha achado a prática quase insuportável: "No primeiro dia, sentei-me por uns segundos, depois me vi pensando: *Tenho tanta coisa para fazer, isso é uma perda de tempo.* Depois argumentei: *Tudo bem, prometi a mim mesma que reservaria este tempo. Ótimo. Sente-se. Respire.*

Aí, alguns segundos mais tarde, comecei a pensar no relatório que prometi entregar a um colega no dia seguinte. Senti um frio na barriga. *Se eu não entregar, o que ele pensará?* Então concluí: *Esta meditação está fazendo eu me sentir pior.*"

Apesar de tudo o que havia lido, Hannah ainda achava que o objetivo da meditação da atenção plena fosse esvaziar a mente dos pensamentos. Assim, como isso não ocorreu, ela ficou frustrada, não apenas com o que passava por sua cabeça – todas as tarefas que ainda não completara – mas também com o fato de que não conseguia evitar aqueles pensamentos. No fundo, ela acreditava que se encontrasse o jeitinho certo, a mente se "esvaziaria" e seu estresse desapareceria.

Por alguma razão, Hannah persistiu e fez a prática duas vezes por dia. Algumas vezes, sentia como se tivesse uma tempestade dentro dela. Em outras, percebia que sua mente não estava tão ocupada. Então, no terceiro dia, algo aconteceu: começou a pensar em sua mente – seus pensamentos e suas sensações – como um "padrão meteorológico", sendo que sua tarefa era apenas observar o tempo. Em certos momentos, o "céu" estava tempestuoso; em outros, plácido e tranquilo. Hannah não estava tentando adquirir controle sobre o clima. Pelo contrário, estava se tornando mais interessada nele como era realmente, observando as tempestades e a calmaria com curiosidade, sem autocrítica. Aos poucos passou a ver seus pensamentos como *pensamentos* e os mecanismos internos de sua mente como *eventos mentais passageiros.*

Comparando sua mente com um lago, Hannah percebeu com que frequência era perturbada por um temporal passageiro. "Nesses momentos", disse ela, "a água ficava turva e cheia de sedimentos. Mas se era paciente, conseguia ver o tempo mudando. Conseguia ver o lago ficar claro de novo. Não que isso resolva todos os meus problemas. Ainda me sinto desencorajada às vezes. Mas é bom ver isso como um processo que repito de tempos em tempos. Agora consigo entender a razão de praticar diariamente."

Hannah estava descobrindo algo profundo: nenhum de nós consegue controlar os pensamentos que assolam a mente ou o "clima" que eles criam. Mas podemos controlar a maneira como reagimos a isso.

Ao praticar dia após dia, veja se suas experiências são semelhantes ou diferentes das de Hannah. Você pode descobrir que é muito fácil se distrair. Nossa mente tende a pular de um pensamento para outro, de modo que se torna complicado manter a concentração. Essa simples percepção é um passo crucial para cultivar a atenção plena.

Tente ser gentil consigo mesmo. Quando você medita e sua mente divaga, é possível aprender algo de suma importância. Você começa a "ver" a corrente de pensamentos em ação. Por breves instantes, todos os pensamentos, as sensações e as lembranças que fluem incessantemente ficarão aparentes. Muitos deles parecerão fortuitos. É quase como se sua mente vasculhasse a si mesma, oferecendo possibilidades de você – sua consciência – avaliar se eles são *úteis* ou *interessantes* de alguma forma. Você pode então escolher se aceitará esses pensamentos ou não. Na verdade, podemos fazer isso o tempo todo, mas nos esquecemos de fazê-lo. Confundimos os pensamentos com a realidade e nos definimos pelo que se passa em nossa mente.

Após um momento de consciência plena, você pode perder o fluxo da corrente. Quando isso acontecer, a tarefa será a mesma: apenas observe seus pensamentos como pensamentos, e suavemente traga sua atenção de volta para a respiração, notando qualquer resistência. Talvez você queira reconhecê-los, atribuindo-lhes nomes – "Ah, aqui está o pensamento", "aqui está o planejamento" ou "aqui está a preocupação" –, antes de se concentrar de novo na respiração. Você não falhou. Pelo contrário – deu o primeiro passo de volta à atenção plena.

LIBERADOR DE HÁBITOS

No decorrer da próxima semana, gostaríamos que você realizasse um exercício Liberador de Hábitos. A intenção é ajudá-lo a atenuar seus hábitos, acrescentando um pouco de imprevisibilidade a sua vida.

Mudar de cadeiras

Esta semana, veja se consegue observar em quais cadeiras costuma se sentar em casa, num café ou restaurante, nas reuniões de trabalho. Opte deliberadamente por se sentar em outra cadeira ou alterar a posição daquela que você usa. É incrível como nos sentimos confortáveis com a mesmice dos hábitos. Nada há de errado nisso, mas se não tomarmos cuidado, eles podem alimentar uma sensação de conformismo que leva ao piloto automático. Torna-se fácil deixar de perceber visões, sons e cheiros das coisas a sua volta. E você pode até mesmo não notar a sensação de se sentar na cadeira que lhe é tão familiar. Observe como sua perspectiva é capaz de mudar quando você simplesmente muda de lugar.

Práticas para a semana um

- Meditação da Passa (ver pp. 66-68).
- Atenção plena de uma atividade rotineira diária (por exemplo, escovar os dentes – ver pp. 69-70).
- Atenção plena do corpo e da respiração duas vezes por dia (faixa 1 do CD).
- Liberador de Hábitos

CAPÍTULO SEIS

Semana dois: conscientizar-se do corpo

"Eu costumava chamar meu trabalho de assassino silencioso", conta Jason. "Acho que instrutor de autoescola deve ser o emprego mais estressante do mundo. Os alunos parecem ser de dois tipos: aqueles que se consideram pilotos de Fórmula 1 e os que ficam paralisados diante dos outros motoristas. Ambos podem ser desastrosos na estrada. Eu passava seis a oito horas por dia morrendo de medo de que um aluno perdesse o controle da direção, destruísse meu carro ou matasse nós dois.

Após sete anos no emprego, descobri um sopro no coração. Aquilo nem me surpreendeu. Eu passava o dia inteiro tentando conter meu terror e minha raiva. Eu me tornara hiperativo e suava feito um louco. Dormia mal à noite e ficava exausto no dia seguinte. A vida estava se tornando terrível."

Se você observasse Jason no trabalho, logo veria a tensão estampada em seu rosto e entenderia por que sua rotina se tornara tão desagradável. Seu corpo costumava enrijecer de tensão, seus movimentos eram brutos, as rugas em sua testa eram um sinal permanente. Ele se tornara a própria imagem da angústia e da aflição. De inúmeras maneiras, estava aprisionado num círculo vicioso que aos poucos destruía sua vida.

Embora não soubesse, Jason vinha sendo movido tanto pelos temores e tensões de seu corpo quanto pelos pensamentos e sensações em sua mente. Pois, como vimos antes, nosso estado de espírito pode ser resultado dos estímulos do corpo e da mente.

O corpo é extremamente sensível às menores centelhas de emoção que percorrem a mente. Ele detecta os pensamentos quase antes de os registrarmos de forma consciente e reage como se eles fossem concretos – independentemente de refletirem ou não a realidade. Mas o corpo não apenas reage ao que a mente está pensando: ele também alimenta o cérebro de informações emocionais que acabam realçando o medo, a preocupação, a angústia e a infelicidade em geral. Esse ciclo de feedback é uma dança incrivelmente complexa que só agora começa a ser entendida.

Diversos experimentos mostram a intensidade do poder de influência do corpo sobre os pensamentos. Em 1980, os psicólogos Gary Wells e Richard Petty realizaram um experimento revolucionário (e muitas vezes repetido) para provar essa relação. Eles pediram aos participantes que testassem fones de ouvido, classificando a qualidade do som depois de ouvirem determinada música e um discurso. Para simular uma corrida, eles tinham que mover a cabeça enquanto ouviam. Alguns voluntários deveriam mover a cabeça de um lado para outro, quase como se estivessem fazendo um sinal negativo, outros moveriam a cabeça para cima e para baixo, como se estivessem fazendo um sinal positivo, e outros foram instruídos a não mover a cabeça. Talvez você consiga adivinhar qual dos grupos deu a melhor nota aos fones: aquele cujos movimentos sugeriam um "sim".

Como se isso não fosse suficientemente sugestivo, os pesquisadores pregaram uma peça nos voluntários: perguntaram a eles se gostariam de participar de uma enquete sobre a vida universitária. Nenhum deles sabia que aquilo fazia parte do mesmo experimento. Apesar disso, as opiniões das pessoas foram afetadas pelo que haviam ouvido nos fones e também por seus movimentos de cabeça. A voz nos fones questionava se a mensalidade dos cursos deveria aumentar de 587 para 750 dólares. Quando perguntados qual deveria ser o valor da mensalidade, aqueles que não haviam movido a cabeça responderam, em média, 582 dólares – valor superior aos 467 dólares estimados pelos que fizeram sinal negativo, e inferior aos 646 dólares propostos pelos que fizeram sinal positivo.[1] E nenhum deles percebeu que o movimento feito com a cabeça havia afetado sua opinião.

Está claro – bem mais do que gostaríamos de admitir – que os julgamentos que fazemos a todo momento podem ser fortemente afetados pelo estado de nosso corpo. Essa notícia pode ser perturbadora, mas também é animadora, já que significa que mudando o relacionamento com o corpo podemos melhorar profundamente nossa vida. Existe apenas um problema nisso: a maioria de nós não tem consciência do próprio corpo.

Passamos muito tempo planejando, lembrando, analisando, julgando, remoendo e comparando. Não que seja "errado" fazer qualquer uma dessas coisas, mas fazê-las em excesso pode prejudicar nosso bem-estar físico e mental. Esquecemos de nosso corpo e da influência que ele tem na maneira como pensamos, sentimos e agimos. Não percebemos, como disse T. S. Eliot, nossas "faces tensas repuxadas pelo tempo, distraídas da distração pela distração".[2]

Essa tendência de ignorar o corpo pode ser reforçada pelo fato de não gostarmos muito dele – não é tão alto, magro, saudável ou atraente quanto desejamos. Sem contar que chegará um dia em que ele envelhecerá e morrerá, estejamos ou não preparados para isso.

Assim, acabamos ignorando ou maltratando nosso corpo. Podemos até não o tratar como inimigo, mas certamente não cuidamos dele como se fosse um amigo. O corpo se torna um estranho. Se a mente e o corpo são uma coisa só, vê-lo como algo separado de nós é perpetuar a alienação em relação ao nosso eu mais profundo. Para trazer paz e tranquilidade a nossa vida tão atribulada, precisamos aprender a nos "reconciliar" com essa parte de nós que ignoramos por tanto tempo.

Para cultivar verdadeiramente
a atenção plena, precisamos voltar
a nos integrar por inteiro com nosso corpo.

Eis algo que Jason, o instrutor de autoescola, aprendeu: "Eu sabia que precisava encontrar um meio de permanecer calmo ao longo do dia e de relaxar à noite. Experimentei vários esportes, mas nenhum me empolgou. Tentei ioga e descobri que os exercícios e as meditações da atenção plena eram exatamente aquilo de que eu precisava. Percebi que estava muito desconectado do meu corpo. Mal conseguia senti-lo."

Ele explica como a mudança ocorreu: "Decorreram algumas semanas até eu sentir o efeito completo, mas aos poucos fui recuperando o controle sobre minha vida. Isso me trouxe uma nova perspectiva das coisas, o que é utilíssimo em meu trabalho. Agora consigo prever os erros dos meus alunos antes que ocorram. Também adquiri uma dose extra de empatia, que me ajuda a lidar melhor com os medos e as preocupações deles. Semana passada, um dos meus alunos bateu com o carro num balizador de tráfego. Se tivesse acontecido um ano antes, eu teria explodido, mas dessa vez respirei fundo e disse a mim mesmo: É para isso que eu tenho seguro."

INTEIRO DE NOVO

A primeira semana do programa de atenção plena (Capítulo Cinco) iniciou o processo de desenvolver sua capacidade de concentração e atenção, e lhe deu um vislumbre do funcionamento da mente e de sua tendência a "tagarelar". Aos poucos, você provavelmente percebeu que, embora não consiga impedir que pensamentos perturbadores surjam, pode interromper o círculo vicioso que vem em seguida.

O próximo passo é aprofundar sua capacidade de ver a reatividade de sua mente. Você aprenderá a sentir os primeiros sinais dos pensamentos emocionalmente carregados. Assim, o corpo, em vez de agir como um amplificador, se tornará um radar, um sistema de alerta para a infelicidade, a ansiedade e o estresse antes que eles surjam de fato. Mas para interpretar as mensagens de seu corpo, você deve, primeiro, aprender a prestar atenção nos locais onde os sinais se originam. Que locais são esses? Qualquer parte do corpo. Para identificá-los, é necessário fazer uma meditação que inclua todas as regiões do corpo, não ignorando nada, acolhendo tudo. E para isso usamos a Exploração do Corpo.[3]

EXPLORAÇÃO DO CORPO

A Meditação da Exploração do Corpo é de uma simplicidade maravilhosa e reintegra mente e corpo como um único conjunto. Para isso, você deve deslocar sua atenção pelo corpo, tendo consciência plena de cada parte antes de mudar o foco para a região seguinte, até ter "explorado" o corpo inteiro. Ao fazê-lo, você desenvolverá sua capacidade de atenção sustentada. E também descobrirá um sabor especial da atenção, caracterizado por uma sensação de suavidade e curiosidade.

É importante preparar o cenário para essa meditação, portanto talvez valha a pena reler as instruções (ver pp. 58-61). Na semana um, você identificou os dois melhores momentos do dia para praticar. Nessas duas ocasiões, dedique quinze minutos à Exploração do Corpo. Procure meditar em seis dos próximos sete dias, para que no fim da semana você tenha realizado a prática doze vezes. Lembre-se de que este tempo é *seu*, reservado para reforçar seu eu interior - sua alma, por assim dizer. Encontre um lugar e uma hora que tenha o mínimo possível de atividade no mundo exterior; desligue o celular e ache um canto tranquilo em casa ou no trabalho, por exemplo.

Como já dissemos, você talvez tenha dificuldade de encontrar tempo, pois estará sempre cansado ou ocupado demais. Isso é compreensível, mas você deve lembrar que a meditação existe para nutri-lo, e que os dias em que você não consegue tempo para meditar talvez sejam aqueles em que mais precisa persistir na prática. Esse processo é um investimento em si mesmo, que resultará em amplas recompensas. Com o passar dos dias, você estará mais eficiente em casa e no trabalho. Isso acontece porque os velhos padrões de pensamento consomem grandes fatias de tempo e geram poucos benefícios. Se você conseguir dissolver esses hábitos tornando-se mais atento, esse tempo será liberado para outros usos.

Meditação da Exploração do Corpo

Faixa 2

1. Deite-se de costas, de maneira confortável, em um lugar onde não será perturbado. Você pode deitar na cama, diretamente no chão ou num tapete. Cubra-se com um cobertor, se estiver frio. Talvez seja útil fechar os olhos, mas sinta-se livre para mantê-los abertos se preferir, ou para abri-los a qualquer momento se sentir que está adormecendo.

2. Dedique alguns momentos a trazer sua consciência às sensações físicas, especialmente ao tato ou ao contato do corpo com a superfície de apoio. Em cada expiração, permita-se afundar um pouco mais nessa superfície.
3. Lembre-se de que este é um momento de despertar, não de adormecer. É hora de estar plenamente consciente de sua experiência como ela é, não como você acha que deveria ser. Você não deve tentar mudar o que está sentindo nem mesmo tentar ficar mais relaxado ou tranquilo. A intenção desta prática é tornar consciente toda e qualquer sensação, ao voltar sua atenção para cada parte do corpo. Pode ser que você não sinta nada. Se isso acontecer, simplesmente reconheça esse vazio. Não precisa tentar buscar sensações onde não existe nenhuma.
4. Agora traga sua atenção para o abdômen, observe os padrões mutáveis na parede abdominal conforme o ar entra e sai do seu corpo. Perceba essas sensações enquanto inspira e expira, enquanto o abdômen sobe e desce.
5. Tendo se conectado com as sensações no abdômen, concentre sua atenção como se fosse um refletor e vá descendo pelo corpo até as pernas e os pés. Concentre-se em cada dedo, trazendo uma atenção suave e interessada a eles. Observe as sensações. Você pode notar o contato entre os dedos dos pés, sentir um formigamento, ter uma sensação de calor, ou torpor, ou absolutamente nada. O que você experimentar está correto. Não julgue. Faça o possível para deixar as sensações serem como são.
6. Ao inspirar, imagine a respiração entrando nos pulmões e descendo por todo o corpo, pelas pernas, até os dedos dos pés. Ao expirar, imagine a respiração fluindo para fora dos dedos, dos pés, das pernas, do tronco, até o nariz. Continue nessa percepção por algumas respirações. Você pode achar difícil dominar isso, mas pratique da melhor forma possível, num espírito de brincadeira.
7. Quando estiver pronto, ao expirar, traga sua consciência para as sensações profundas em seus pés. Traga uma atenção suave e curiosa para as solas. Depois transfira a atenção para o dorso dos pés, depois

os calcanhares. Você pode perceber, por exemplo, uma ligeira pressão onde os calcanhares fazem contato com o chão. Experimente concentrar-se em cada sensação, consciente da respiração enquanto explora as plantas dos pés.

8. Permita que sua consciência se expanda para o restante dos pés, os tornozelos, os ossos e as articulações. Inspire profundamente e, ao expirar, dirija sua atenção para as canelas.
9. Continue explorando seu corpo todo dessa maneira, permanecendo um tempo em cada parte. Após as canelas, suba para os joelhos e depois para os quadris. Agora mova sua percepção para a região pélvica – virilha, genitais, glúteos e quadris. Tome consciência da região lombar, do abdômen, da região dorsal e, por fim, do tórax e dos ombros. Suavemente, leve a atenção até as mãos. Você pode primeiro observar as sensações nas pontas dos dedos, depois nos dedos inteiros, nas palmas e no dorso das mãos. Então passe para os punhos, a parte inferior dos braços e cotovelos, antebraços, ombros e axilas. Em seguida, mova sua consciência para o pescoço, o rosto (mandíbula, boca, lábios, nariz, bochechas, orelhas, olhos e testa), antes de enfim envolver a cabeça inteira na atenção plena.
10. Você deve reter a atenção em cada região do corpo por vinte a trinta segundos. Não há necessidade de medir o tempo ou de contar as respirações – apenas enfoque cada parte do corpo sucessivamente pelo tempo que parecer natural.
11. Quando perceber qualquer sensação intensa, como tensão, em alguma parte do corpo, experimente "respirar dentro dela" para explorá-la melhor. Inspire para colocar a atenção nessa sensação. Depois veja como aquela parte tensionada muda – caso mude – quando você tira dela o foco da respiração.
12. De tempos em tempos, a mente inevitavelmente se afastará da respiração e do corpo. Isso é normal. Quando perceber que isso aconteceu, reconheça o fato, registre mentalmente aonde seus pensamentos foram e volte sua atenção para a parte do corpo em que pretendia se concentrar.

13. Quando terminar, passe alguns minutos conscientizando-se do corpo como um todo. Experimente a sensação de completude. Veja se consegue manter na consciência tudo o que sentiu, enquanto percebe a respiração fluindo livremente para dentro e fora do corpo.

A Exploração do Corpo pode ser profundamente relaxante, portanto é fácil adormecer enquanto a pratica. Caso isso aconteça, você não precisa se criticar. Se isso continuar a ocorrer durante as sessões, talvez seja útil apoiar a cabeça num travesseiro, abrir os olhos ou fazer a prática sentado, em vez de deitado.

Expectativas e realidade

Muitas pessoas chegam na segunda semana do curso esperando ser capazes de esvaziar de forma milagrosa a mente de todos os pensamentos (ainda acreditando que esse é o "objetivo" da meditação). Elas buscam essa prática para acalmar seus pensamentos atribulados. Veja o caso de Benjamin, que não conseguia se concentrar: "Minha mente não desligava. Não gostei nem um pouco da experiência." Fran também passou por isso: "Achei difícil ficar quieta. Só conseguia relaxar quase no final da prática. Pensava em tudo: trabalho, compras, pagamento de contas, problemas de relacionamento. Não podia evitar."

Essas experiências são perfeitamente normais. Muitos de nós temos um fluxo incessante de pensamentos competindo por nossa atenção. Às vezes dá a sensação de que a prática não está nos beneficiando em nada. Afinal, se estivesse, conseguiríamos aproveitá-la. Não é esse o objetivo da meditação?

De novo, é importante lembrar que não existe uma relação direta entre quanto você está curtindo a prática e os benefícios que terá a longo prazo. A mente pode levar tempo até se reconectar com o corpo de forma plena, já que inúmeras redes no cérebro devem ser reprogramadas e fortalecidas. Esse processo não precisa ser difícil, mas geralmente é. Por quê? Veja um exemplo:

Treinar a atenção é como ir à academia após um longo tempo afastado. É como exercitar um músculo pouco utilizado. Assim como no treinamento na academia, em que você força os braços e as pernas em aparelhos cuidadosamente escolhidos para que os músculos recuperem sua força, na Exploração do Corpo você "força" sua atenção por períodos maiores que o normal em algo que costuma ignorar. Assim, se você ficar inquieto ou entediado, acolha esses sentimentos, pois eles são a resistência necessária para aumentar sua concentração e sua consciência. Se concentrar sua atenção por longos períodos não der uma impressão um pouquinho estranha, é bem possível que você não esteja exercitando o suficiente. Qualquer divagação, inquietude ou tédio que surja pode ser reconhecido como aliado em seu treinamento em atenção plena. Assim, quando as distrações aflorarem, reconheça que sua mente divagou. Você pode nomear ou descrever as sensações, como "pensando, pensando", "chegou a preocupação", "Ah, aqui está a inquietude" ou "olá, tédio". Após reconhecer a mente divagante, oriente sua atenção de volta à parte do corpo da qual se afastou.

Quando você estiver zangado ou frustrado e não estiver conseguindo meditar, tente abandonar ideias como "sucesso" e "fracasso" ou noções abstratas como "preciso purificar meu corpo". A nossa tendência é pensar *Não é assim que deveria ser*, como se existisse uma forma correta de sentir. Nesses dias, é provável que você sinta uma tensão nos ombros, no pescoço ou nas costas, o que pode parecer uma confirmação de que a meditação "não está funcionando". No entanto, esses são sinais de que a Exploração do Corpo *está* se revelando importante. Talvez você esteja percebendo pela primeira vez, em tempo real, como a mente cria tensão no corpo. Logo você notará que o corpo também cria tensão na mente. A consciência dessa relação é uma grande descoberta. À medida que você passar mais tempo observando essas tensões, perceberá que o simples fato de estar atento a elas ajuda a dissipá-las. Você não terá que fazer nada a não ser observar com curiosidade amigável. Tudo o mais é consequência.

Algumas pessoas são incapazes de ter qualquer sensação em algumas partes do corpo, ao menos inicialmente. Isso costuma deixá-las surpresas, pois, antes de iniciar a meditação, nunca haviam reparado nisso. Elas podem sentir dor e ter o tato normal, mas as sensações comuns de um corpo plenamente vivo lhes escapam. Se isso ocorrer com você, continue seguindo os passos indicados no CD. Uma dica que pode ajudar: imagine-se como um naturalista que aguarda, paciente, um animal arisco aparecer, mantendo a câmera ligada embora nada pareça estar ocorrendo. Lembre-se de que você não está esperando que aconteça algo em especial. Neste cenário, talvez você descubra que certa parte do seu corpo subitamente tremula com sensações, ainda que de modo sutil. Quando detectar essa sensação, permaneça concentrado nela por um pouco mais de tempo do que o CD sugere e explore suas características de maneira mais profunda. Depois continue a Exploração do Corpo. No decorrer dessa semana, você sentirá cada vez mais o seu corpo e se reconectará a ele.

Ailsa constatou que havia dias em que sua mente estava particularmente inquieta. Aos poucos, porém, passou a aceitar isso como parte do velho hábito de ver tudo como uma ameaça ou um desafio. Com a prática constante da Exploração do Corpo, ela descobriu que lutar contra uma mente inquieta a lançava em círculos autodestrutivos. A meditação não é uma competição. Não é uma habilidade complexa que precisa ser aperfeiçoada. A única disciplina envolvida é a prática regular e frequente. Ailsa aprendeu a conviver com a agitação, explorando-a em vez de expulsá-la como se fosse um visitante indesejado.

No início, ela vivia adormecendo enquanto praticava. Achava isso frustrante, mas acabou percebendo que era perfeitamente natural, já que trabalhava muitas horas e não dormia o suficiente à noite. Quando acordava, prosseguia de onde havia parado. Mas às vezes apenas curtia a soneca sem se preocupar. Não se criticar nem se sentir culpada fazia com que se sentisse mais entusiasmada em retomar a meditação em outro momento.

Tal amizade entre corpo e mente é essencial à meditação. Assim, quando sentir que está "fracassando" em sua meditação, use essa sensação como um portal para a consciência e a aceitação de como você é e abra espaço para esse sentimento de "fracasso", percebendo como seus julgamentos vêm e vão como feixes de pensamentos, sentimentos e manifestações físicas. Veja como eles influenciam sua maneira normal de agir. Tente observá-los surgindo e se dissolvendo na mente e no corpo.

A Exploração do Corpo revela o modo Atuante

Listar tudo o que você pode experimentar com a Exploração do Corpo, especialmente as dificuldades, talvez o leve a pensar que essa é uma jornada árdua. Mas nem sempre é assim. Muitas pessoas a consideram a experiência mais relaxante que já tiveram. Um participante disse que era como boiar em água morna. Outro disse que a sensação era de se reconciliar com um velho amigo que não via há décadas.

Então por que mencionar todas as dificuldades? Primeiro, não queremos que você fique desapontado se essa meditação não libertá-lo imediatamente do estresse. Mas existe um segundo motivo, que torna a Exploração do Corpo uma das práticas mais importantes de todas.

Lembra-se do modo Atuante da mente, que parece nunca dar sossego, escravizando-o a uma rotina incessante e frenética? Suas características incluem: julgar a todos; comparar as coisas como são e como você gostaria que fossem; esforçar-se para torná-las diferentes do que são; estar sempre no piloto automático; levar os pensamentos ao pé da letra; viver no passado ou no futuro e não no presente; evitar aquilo de que não gosta em vez de enfrentá-lo. O modo Atuante vê o mundo de forma indireta, através de um véu de conceitos que dão um curto-circuito em seus sentidos, fazendo com que você deixe de experimentar o mundo e a si mesmo.

Você reconhece esses aspectos do modo Atuante?

Todas essas dificuldades podem aparecer durante a Exploração do Corpo. Mas elas podem ser usadas como um professor, ajudando você a reconhecer quando o modo Atuante está se manifestando e tentando reafirmar sua autoridade. Assim, se você se sente inquieto, agitado, entediado ou sonolento, aproveite a oportunidade de reconhecer a sensação como ela é se volte para ela, em vez de se afastar. Se você está preso no piloto automático, quando sua mente se dispersar, identifique o lugar para onde ela foi e a traga de novo para casa. O afastamento e o retorno podem se revelar uma prática maravilhosa para a mudança do modo Atuante para o Existente. Haverá vezes em que você se verá pensando sobre uma parte do corpo e perceberá que não a está *sentindo*, mas analisando. Ao se dar conta disso, você vai compreender como a mente age para fazer as coisas sempre do seu jeito!

Se ainda não fez a Exploração do Corpo, faça uma pausa agora e decida quando vai fazê-la. Então releia as instruções (ver pp. 84-87) e, quando chegar o momento da prática, siga as orientações da faixa 2 do CD.

LIBERADOR DE HÁBITOS: FAZENDO UMA CAMINHADA

Caminhar é um dos exercícios físicos mais eficientes e uma ótima maneira de aliviar o estresse e melhorar o humor. Uma boa caminhada pode pôr o mundo em perspectiva e acalmar seus nervos. Se você realmente quer se sentir *vivo*, faça uma caminhada no vento ou na chuva!

Na próxima semana, organize-se para fazer ao menos uma caminhada de quinze a trinta minutos (ou mais, se desejar). Não é preciso ir a um lugar especial. Uma caminhada por seu bairro, com a mente aberta, pode ser tão interessante quanto escalar uma montanha.

Não tenha pressa. O intuito é caminhar o mais atentamente possível, concentrando-se em quando seus pés tocam o chão, sentindo os movimentos dos músculos e tendões nos pés e nas pernas. Note como seu corpo inteiro se move enquanto você caminha. Preste atenção a todas as visões, sons e cheiros. Mesmo se estiver em um centro urbano, dá para ver e ouvir um número surpreendente de pássaros e outros animais. Observe como eles reagem quando percebem que você os viu.

Tente estar aberto a todas as sensações: sinta o perfume das flores, o aroma da grama recém-cortada, o cheiro da fumaça dos carros e das comidas sendo preparadas nos restaurantes. Tente sentir a brisa no rosto ou a chuva caindo sobre sua cabeça. Ouça o barulho do vento. Veja como os padrões de luz e sombra mudam de uma hora para outra. Cada momento possui inúmeras delícias sensoriais – não importa onde você esteja.

Tente olhar para cima também. Se estiver na cidade, você se surpreenderá com a quantidade de detalhes arquitetônicos bonitos acima do nível de visão natural. Talvez haja tufos de relva brotando nos telhados e nas calhas. Se estiver num parque ou no campo, verá todo tipo de coisas, de ninhos de passarinhos a colmeias de abelhas escondidas em árvores e arbustos. Caso queira ir mais fundo, entre para um grupo que faz caminhadas com frequência. Será o início de um hobby para toda a vida.

Apreciação do aqui e agora[4]

Felicidade é olhar para as mesmas coisas com olhos diferentes.

A vida só acontece aqui – neste exato momento. Amanhã e ontem não passam de um pensamento. Portanto, tire o melhor proveito do agora. Você não sabe quanto tempo tem pela frente. Essa consciência ajuda a prestar uma atenção contemplativa no momento presente. Quanta atenção você tem no aqui e agora? Fique quieto e olhe em volta. Como é o "agora" para você?

Você não precisa esperar que o futuro lhe traga um presente melhor. Você pode encontrá-lo agora.

Na semana um, você deve ter descoberto que deixamos de perceber as coisas bonitas facilmente e que damos pouca atenção a elas. Dedique tempo para contemplar as coisas simples, quotidianas. Talvez você consiga dar uma atenção extra a algumas atividades corriqueiras em sua vida.

Que atividades, coisas ou pessoas fazem você se sentir bem? Você consegue dedicar atenção e tempo para apreciar essas atividades?

- ____________________________________
- ____________________________________
- ____________________________________
- ____________________________________

Você consegue parar por um instante quando momentos agradáveis ocorrem?

Ajude-se a fazer pausas, observando:

- Que *sensações físicas* você tem nesses momentos
- Que *pensamentos* estão presentes
- Que *sentimentos* afloram

O exercício da gratidão dos dez dedos

Para contemplar as pequenas coisas da vida, faça o exercício da gratidão. Uma vez por dia, traga à mente dez coisas pelas quais é grato, contando-as nos dedos. É importante chegar a dez, mesmo que a contagem fique mais difícil após três ou quatro! É justamente para isso que serve o exercício: trazer à consciência os pequenos elementos, que costumavam passar despercebidos pelo dia a dia.

Simples atos, como sair para uma caminhada, podem trazer resultados surpreendentes. Experiências como a de Janie não são raras: "Numa manhã eu estava caminhando ao longo do rio no centro da cidade. Era uma manhã adorável. De repente, meu humor despencou. Comecei a pensar no que aconteceria com minha família se eu ficasse gravemente doente. Veio do nada! Não tentei discutir com os pensamentos negativos. Apenas parei e disse a mim mesma: 'Isso não aconteceu. É *só uma preocupação.*' Um momento depois, notei uma gaivota pousada no alto de um poste. Aí percebi que havia uma gaivota pousada no topo de cada poste ao longo do rio. Cada uma olhava em uma direção ligeiramente diferente. Foi uma visão tão inusitada que ri sozinha. Aquilo me animou por horas."

Práticas para a semana dois

- Prática da Exploração do Corpo (faixa 2 do CD) ao menos duas vezes ao dia, em seis dos sete dias da semana.
- Realize uma atividade rotineira *atentamente* (ver quadro, pp. 69-70). Escolha uma atividade diferente da última semana.
- Liberador de Hábitos – faça uma caminhada de, no mínimo, quinze minutos ao menos uma vez esta semana.

CAPÍTULO SETE

Semana três: o rato no labirinto

"Este planeta tem – ou melhor, tinha – o seguinte problema: a maioria de seus habitantes estava quase sempre infeliz. Foram sugeridas muitas soluções para esse problema, mas a maior parte delas dizia respeito basicamente à movimentação de pequenos pedaços de papel colorido com números impressos, o que é curioso, já que no geral não eram os tais pedaços de papel colorido que se sentiam infelizes."

DOUGLAS ADAMS[1]

Certa vez, um viajante em uma pequena ilha grega observou um menino tentando persuadir o burrico da família a se mexer. O menino precisava sair para entregar verduras e já havia enchido os cestos do animal, mas o burrico não estava a fim de se mexer. O menino foi ficando cada vez mais agitado e começou a elevar a voz, postando-se à frente do burro e puxando com força a corda. O burro firmou ainda mais os cascos no solo. Aquele cabo de guerra poderia ter se estendido por um longo tempo se não fosse o avô do menino. Ouvindo o alvoroço, saiu da casa e viu a cena familiar – a batalha desigual entre o animal de carga e o ser humano. Delicadamente, tirou a corda das mãos do neto e disse: "Quando ele estiver teimoso assim, tente isto: segure a corda frouxa na mão, fique ao lado do burro e olhe para a direção que quer tomar. Depois espere."

O menino seguiu a recomendação do avô e, após alguns momentos, o burro pôs-se a andar. O menino riu de prazer, e o viajante observou animal e menino seguirem felizes, lado a lado, até dobrarem a curva distante.

Com que frequência você se comporta como o menino puxando a rédea do burrico? Quando as coisas não funcionam como gostaríamos, é tentador insistir um pouco mais, continuar empurrando e puxando a corda na direção que queremos seguir. Mas será que é sensato ficar insistindo na mesma direção? Ou deveríamos seguir o conselho do velho e parar, aguardando que as coisas se desenrolem sozinhas e percebendo as oportunidades que surgem?

Para muitos de nós, esperar é quase um pecado, pois sugere passividade – embora na maioria das vezes seja a melhor solução. Forçar a barra com um problema ou um burro teimoso pode piorar ainda mais as coisas. Pode bloquear a mente e impedir que pensemos de forma criativa, lançando-nos em círculos cansativos e estressantes. A consciência criativa nasce mais facilmente em uma mente aberta e lúdica.

Em um experimento realizado por psicólogos da Universidade de Maryland, publicado em 2001,[2] pediu-se a dois grupos de estudantes que resolvessem um jogo de labirinto. Você deve se lembrar deles de sua infância: basta traçar uma linha do centro do labirinto até a saída, sem erguer o lápis da folha. O objetivo era ajudar um camundongo a sair com segurança de sua toca. Mas havia um detalhe: um grupo estava trabalhando com uma versão que tinha o desenho de um queijo próximo à saída do labirinto. Em jargão técnico, trata-se de um quebra-cabeça positivo, orientado para a abordagem. Na versão do outro grupo, em vez do queijo, havia o desenho de uma coruja em posição de ataque no meio do percurso. Este era um quebra-cabeça negativo, orientado para a evitação.

Os labirintos eram simples, e os estudantes completaram a tarefa em cerca de dois minutos. Mas os efeitos subsequentes foram diametralmente opostos. Após completarem o labirinto, os estudantes foram submetidos a um segundo teste, aparentemente desvinculado do primeiro, que media seus níveis de criatividade. Ao fazerem esse teste, aqueles que evitaram a coruja tiveram resultados 50% piores do que aqueles que ajudaram o camundongo a achar o queijo. Concluiu-se que a evitação "reduzia" as opções na mente dos estudantes. Ela desencadeou as vias de "aversão" da mente deles, infundindo-lhes um medo persistente e uma maior sensação de vigilância e cuidado. Esse estado mental enfraquecia a criatividade e reduzia a flexibilidade.

Por outro lado, os estudantes que ajudaram o camundongo a achar o queijo se tornaram abertos a experiências novas, foram mais brincalhões e despreocupados, menos cautelosos e mais contentes em experimentar. Em suma, a experiência abriu-lhes a mente. Esse experimento e outros semelhantes mostram que:

O espírito com que você faz algo
é tão importante quanto o próprio ato.

Pense nisso por um momento. Se você fizer algo de forma negativa, preocupada ou crítica, se analisar demais ou realizar uma tarefa rangendo os dentes, ativará o sistema de evitação de sua mente. Isso reduzirá seu foco. Você se tornará um camundongo com um complexo de coruja: ansioso, inflexível, pouco criativo. Mas se fizer exatamente a mesma coisa de coração aberto, ativará o sistema de abordagem da mente: sua vida se tornará mais rica, cordial, flexível e criativa.

E nada ativa mais o sistema de evitação da mente (e deprime o sistema de abordagem) do que a sensação de estar *aprisionado*. Essa sensação de aprisionamento também é comum às sensações de exaustão e impotência. Muitas pessoas que trabalham demais acabam prisioneiras do próprio perfeccionismo e senso de responsabilidade – sentem, lá no fundo, que "não há escapatória". Talvez em algum momento no passado elas tiveram que provar algo a si mesmas ou aos outros porque se sentiram coagidas, e então ao longo dos anos essa atitude se transformou num roteiro que as mantém presas aos velhos hábitos. Esse roteiro da coação pode tê-las ajudado a obter o que queriam naquela época, mas agora ele simplesmente as exaure. Assim, é fácil para elas dar poder ao seu lado autodestrutivo e, com o passar do tempo, acreditar que a única maneira de viver é se submetendo à pressão. Aprisionadas, seu mundo apresenta cada vez menos alternativas de ação. O resultado é que elas se tornam travadas, incapazes, sem nenhuma alegria.

A exaustão faz com que você deixe de correr riscos – tudo o que quer é se esconder no canto, que o mundo desapareça e o deixe em paz. Esses padrões de comportamento são comuns a todos os animais, não apenas ao ser humano, mas podem infligir uma carga psicológica intolerável, causando depressão, estresse crônico e exaustão, especialmente nas pessoas mais sensíveis. E se o próprio esforço de tentar se libertar desses padrões falha (gerando mais ansiedade, estresse e fadiga), causa uma grande sensação de derrota, aprisionamento e mal-estar.

Embora essa espiral negativa seja incrivelmente poderosa, você pode começar a dissipá-la conscientizando-se dela. O simples ato de observá-la ajuda a dissolver esses padrões, pois são mantidos pelo modo Atuante – que, aliás, é o voluntário errado para esse trabalho. Ele envolve você nas próprias ideias de liberdade, acrescentando aversão às coisas como são e desejo de que tudo fosse diferente. Assim, você é aprisionado na *fantasia* da liberdade criada pela mente Atuante e perde a *realidade* da liberdade disponível para você.

A semana três do programa de atenção plena traz a *verdadeira* liberdade mais para perto, aumentando sua consciência do corpo e da mente.

DESENVOLVER E REFINAR

Agora você deve ter começado a perceber como o poder da atenção plena pode melhorar sua vida. Muitas mudanças serão sutis. Você já deve estar dormindo melhor e se sentindo um pouco mais energizado. Talvez se irrite com menos facilidade e esteja com o riso mais solto. O impulso por trás de seus pensamentos negativos pode estar perdendo força. Talvez você esteja sentindo alegrias inesperadas, contemplando a beleza delicada das flores no parque ou os passarinhos cantando na copa das árvores. Freddy descobriu isso e nos contou:

"Acabei de entregar minha declaração de imposto de renda. Pela primeira vez, foi uma experiência tranquila. Em geral, subo pelas paredes de estresse e irritação. Este ano, fiz o que precisava em cerca de metade do tempo normal. Depois saí para tomar um drinque e percebi que não estava nem um pouco mal-humorado. Foi estranho. Mas estou certo de que isso se deve a minha prática diária."

A atenção plena consiste em reordenar sua vida para que você possa curti-la plenamente. Não significa que o cansaço e o sofrimento vão desaparecer. Você sentirá tristeza também. Mas, quando ela chegar, será uma tristeza empática, não uma emoção corrosiva cheia de amargura, que muitos associam à infelicidade. Ao ver pessoas presas no trânsito com o rosto tenso e franzido, você pode se sentir um pouco triste por elas. Ao ver pessoas preocupadas na rua ou no trabalho, você pode compartilhar um pouco da sua dor. Isso é normal. Para alguns, esse compartilhamento da carga emocional dos outros pode ser um peso. Pode ser um peso esmagador, principalmente se você passou a vida sufocando as próprias emoções.

Abrir-se à empatia é importante porque dela surgirá a compaixão por si mesmo e pelos outros. A compaixão freia a autocrítica. Ela ajuda a ver que algumas coisas são menos importantes do que você pensava e a não se incomodar tanto com elas. A energia que elas vinham consumindo pode ser usada de forma mais generosa consigo mesmo, com os outros e com o mundo. Steve Jobs, criador da Apple e meditador entusiasmado, aprendeu isso quando deparou com o câncer: "Lembrar que logo estarei morto é a ferramenta mais poderosa que encontrei para me ajudar a fazer as grandes escolhas na vida, porque quase tudo – todas as expectativas externas, todo orgulho, todo medo de constrangimento ou de fracasso – simplesmente desaparece diante da morte, deixando apenas o que de fato importa."[3]

INCORPORANDO A ATENÇÃO PLENA À VIDA DIÁRIA

Como incorporar essas percepções a sua vida diária? As últimas duas semanas de meditações formais apresentaram meios para estabilizar a mente e concentrar sua atenção. Essas orientações, aliadas à prática de despertar para as atividades rotineiras, criam a base para a atenção plena diária – o tipo de consciência que chega aos poucos a sua vida, tornando-o plenamente ciente do mundo como ele é, e não como você desejava que fosse. Já explicamos como a mente funciona e mostramos que seus pensamentos não são você. Isto, em si, pode ser incrivelmente libertador, pois ajuda a abandonar alguns padrões nocivos de pensamento que assumem o controle quando você está estressado e exausto, solapando seu entusiasmo pela vida.

A semana três aumenta essa consciência e a entrelaça ainda mais à vida diária. Ela inclui três meditações simples que devem ser feitas em seis dos próximos sete dias.

Alongar sem esforço: a Meditação do Movimento Atento

O movimento pode ter um impacto tão profundo e reconfortante sobre a mente quanto a Exploração do Corpo. Em sua forma mais pura, é uma meditação simples que envolve focar a consciência no movimento do corpo. A Meditação do Movimento Atento consiste em quatro exercícios de alongamento interligados que são realizados durante alguns minutos. Eles realinham muitos dos músculos e articulações, liberando as tensões que se acumulam na vida diária. Será mais proveitoso realizar os exercícios enquanto ouve o CD (faixa 3), já que envolvem movimentos bem específicos. Porém, a seguir daremos instruções detalhadas para que você tenha uma compreensão sólida do que será necessário fazer. Pratique em seis dos próximos sete dias e passe imediatamente para a Meditação da Respiração e do Corpo (ver pp. 105-106; faixa 4).

É natural se sentir um pouco desajeitado e desconfortável movendo-se de forma tão lenta. Tente explorar essas sensações, mas seja gentil consigo mesmo. A intenção não é sentir dor nem forçar o corpo além dos limites. Esteja atento às suas respostas físicas durante os alongamentos, deixando que a sabedoria de seu corpo decida o que é adequado: até onde ir e por quanto tempo permanecer.

Se você tiver algum problema físico nas costas ou em outra parte do corpo, consulte seu médico ou fisioterapeuta antes de fazer qualquer tipo de alongamento, inclusive este. Se tem algum desconforto físico que não seja grave, fique de olho para ver se não está forçando demais. Se não conseguir alongar muito, tente manter a posição por mais tempo. Durante todo o exercício, faça escolhas sábias sobre manter uma posição um pouco mais para explorar as sensações ou deixar a postura e seguir em frente. O desconforto vem e vai com o fluxo das sensações.

O Movimento Atento consiste em cultivar a consciência ao realizar essa prática. Não é uma competição para ver quem é mais flexível.

Meditação do Movimento Atento[4]

Faixa 3

1. Primeiro, fique em pé, descalço ou de meias, com os pés paralelos, afastados na largura dos quadris, e as pernas ligeiramente flexionadas.

Erguendo ambos os braços

2. Depois, em uma inspiração, lentamente levante os braços ao lado do corpo, paralelos ao chão. Expire, inspire e continue a levantá-los, de forma lenta e atenta, até que as mãos estejam sobre a cabeça. Enquanto os braços estiverem se movendo, preste atenção nas sensações nos músculos ao se erguerem e se manterem esticados.
3. Deixando a respiração entrar e sair no próprio ritmo, continue a alongar para cima, com as pontas dos dedos das mãos apontando para o céu e os pés firmes no chão. Leve algum tempo saboreando o alongamento dos músculos e das articulações: dos pés e das pernas, subindo em direção ao tronco e aos ombros, até os braços, as mãos e os dedos.
4. Enquanto mantém esse alongamento por um tempo, observe o que acontece com sua respiração, permitindo que ela flua livremente. Permaneça aberto a quaisquer mudanças nas sensações do seu corpo durante o exercício. Caso sinta tensão ou desconforto, abra-se para elas também.
5. Quando estiver preparado, lentamente – bem lentamente – permita que os braços voltem para baixo em uma expiração. Observe as sensações mudando enquanto eles descem, note o toque da roupa na sua pele. Siga essas sensações com atenção plena até seus braços voltarem à posição de repouso, pendendo dos ombros.
6. Se seus olhos estavam abertos, talvez você queira fechá-los neste momento. Após cada movimento, volte sua atenção para a respiração

e as sensações do corpo enquanto está de pé, notando os efeitos posteriores do alongamento.

"Colhendo uma fruta"

7. Em seguida abra os olhos, erga cada braço alternadamente, como se estivesse colhendo uma fruta de uma árvore que está fora do alcance, mantendo a consciência das sensações do corpo e da respiração enquanto olha por cima dos dedos da mão esticada. Levante o calcanhar oposto ao braço esticado enquanto você alonga, sentindo o alongamento dos dedos esticados de uma das mãos aos dedos do pé oposto. Ao terminar, pouse o calcanhar de volta no chão e abaixe a mão, seguindo os dedos com os olhos se quiser, observando que cores e formas seus olhos absorvem ao seguir sua mão descendo. Depois, mova o rosto para a frente, deixe que seus olhos fechem, entrando em sintonia com os efeitos posteriores do alongamento e as sensações da respiração, antes de se alongar para "colher a fruta" com a outra mão.

Inclinação lateral

8. Agora, lenta e atentamente, leve as mãos aos quadris, permita que o corpo se incline para a esquerda, com os quadris se movendo um pouco para a direita, fazendo com que o corpo forme uma grande curva que se estende dos pés até o tronco. Imagine que está no meio de duas placas de vidro, de modo que seu corpo não caia para trás nem para a frente. Em uma inspiração, volte à posição vertical, e depois, em uma expiração, curve-se na direção oposta. Não importa quanto você se curva para o lado (você pode até ficar reto), mas sim a qualidade da atenção que traz ao movimento. Quais efeitos posteriores você percebe?

Rotação dos ombros

9. Faça movimentos circulares com os ombros enquanto os braços pendem livremente. Primeiro eleve os ombros o mais alto possível em direção às orelhas, depois leve-os para trás como se estivesse tentando unir as escápulas, depois deixe-os cair completamente, em

seguida aponte-os para a frente, como se fosse juntá-los. Deixe a respiração determinar a velocidade da rotação, inspirando durante a metade do movimento e expirando durante a outra metade. Continue "rolando" os ombros por essas diferentes posições o mais suave e atentamente possível, primeiro em uma direção, depois na oposta.

10. Finalmente, ao término dessa sequência de movimentos, permaneça parado por um momento e sintonize as sensações de seu corpo, antes de passar para a meditação seguinte, sentada.

O Movimento Atento pode ter efeitos bem variáveis em diferentes pessoas. Alguns acham-no reconfortante. Outros acreditam que ele libera preocupações reprimidas em seu corpo. Ariel constatou que os alongamentos lhe davam um grande conforto: "Na meditação anterior, minha mente vagava por todo lugar, mas achei bem mais fácil me concentrar quando estava me movendo." Marge também achou tranquilo no início, mas depois constatou que estava se esforçando demais: "A certa altura, percebi que estava rangendo os dentes e com a cara amarrada ao me alongar para pegar aquela maldita fruta!"

Não é raro que isso aconteça. Por isso orientamos que você não somente enfoque as sensações físicas criadas pelos movimentos, mas também perceba como está se *relacionando* com essas sensações. Marge tentava ir além da capacidade de seu corpo. Os dentes rangendo e a cara amarrada eram um sinal de aversão – um sinal de que estava exagerando e de que algo nela não estava gostando daquilo. É incrível como o rosto se fecha nessas situações, como se a testa franzida ajudasse magicamente a mão a ir mais longe! Marge disse: "Um momento depois, percebi o que estava fazendo e ri de mim. Então meu corpo relaxou e se sentiu mais fluido."

Com Jack foi um pouco diferente. Ele ficou com medo de que o alongamento pudesse ser desconfortável, então evitava qualquer sensação de intensidade. "Machuquei minhas costas no trabalho alguns anos atrás e, embora tenha recebido alta médica, sinto receio de forçar o corpo. Assim, quando precisei alongar os braços para o alto, fiquei atento a qualquer sinal de apreensão, e quando comecei a sentir um pouquinho de tensão, desci o braço rapidamente."

A experiência de Jack é importante. Os professores de meditação e ioga sempre enfatizam que devemos ser gentis com nosso corpo. Mas o acidente de Jack pode tê-lo deixado cauteloso demais. Nossa orientação aqui é explorar os limites do seu corpo perto do final de cada série. Existe um "limite fraco", em que o corpo começa a sentir certa intensidade. Depois, existe um "limite forte", quando o corpo chega ao máximo possível durante um movimento.[5] O ideal é ficar um pouco mais perto do limite fraco, encontrando o meio-termo entre se esforçar demais e não fazer esforço algum.

Conforme o alongamento prossegue, você terá uma série de sensações diferentes, que podem ir do profundamente reconfortante ao desconfortável. Essas sensações fornecem uma âncora importante para a mente. Veja se consegue explorá-las com plena consciência. Talvez você perceba que algumas partes do seu corpo são rígidas devido aos anos de estresse e preocupações acumuladas. Alguns músculos parecerão bolas sólidas de tanta tensão. É fácil ver isso no pescoço e nos ombros. Você pode se descobrir incapaz de realizar alguns movimentos que faria naturalmente tempos atrás. Mas agora é diferente de antes. Em vez de julgar seus novos limites, explore-os e aceite-os. Afinal, eles estão fornecendo a matéria-prima para você expandir sua consciência.

Você consegue alongar sem grande esforço?

Se você consegue aprender isso por meio da prática, poderá aplicar a sua vida diária também. Gradualmente, você verá as sensações pelo que são – sensações –, sem ignorá-las ou expulsá-las, notando qualquer julgamento que surgir. Os alongamentos oferecem a chance de identificar sensações estranhas que desencadeiam pensamentos perturbadores. Você pode sentir irritabilidade, raiva, tristeza, medo ou uma melancolia leve. Observe essas sensações sem se deixar ser invadido por elas, depois conduza sua atenção de volta ao alongamento ou aos efeitos posteriores dos movimentos. Ao aceitar intencionalmente qualquer desconforto –

seja físico ou mental –, você está dedicando a si mesmo boa vontade e compaixão. Além disso, está enfraquecendo a tendência a evitar estados da mente e do corpo de que não goste. Muitas pessoas dizem que, com o tempo, o desconforto inicial desaparece, sendo substituído por sensações reconfortantes, quase terapêuticas.

Meditação da Respiração e do Corpo

A semana um apresentou uma breve meditação de respiração. Agora, na semana três, sugerimos que você faça a Meditação da Respiração e do Corpo logo após a prática do Movimento Atento. Sentar-se plenamente atento à respiração e ao corpo após realizar a sequência de alongamentos traz uma sensação bastante diferente de se sentar sem nenhuma preparação. Veja se você consegue perceber isso.

Meditação da Respiração e do Corpo[4]

Faixa 4

1. Encontre uma postura sentada que o ajude a estar plenamente presente, momento após momento.
2. Agora concentre-se na respiração entrando e saindo do seu corpo. Observe os padrões mutáveis das sensações físicas no abdômen enquanto respira.
3. Acompanhe com atenção as sensações advindas de cada inspiração e de cada expiração, notando as possíveis pausas entre uma inspiração e a expiração seguinte, e vice-versa.
4. Não há necessidade de controlar a respiração – apenas deixe que ela ocorra naturalmente.
5. Após alguns minutos acompanhando a respiração entrando e saindo do seu corpo, permita que a consciência da respiração se expanda para o corpo inteiro.

O corpo inteiro

6. Tente perceber todas as sensações ao longo do corpo e mantenha a

atenção no corpo sentado e respirando – isso inclui ter consciência dos estímulos físicos que surgem pelo contato com o chão, a cadeira ou a almofada. Sinta o toque, a pressão ou o contato dos pés no chão; sinta o toque das mãos nas coxas ou onde quer que elas estejam repousando.

7. Da melhor forma que conseguir, mantenha todas essas sensações específicas – junto com a sensação da respiração e do corpo como um todo – em uma consciência ampla, notando se as "lentes" da atenção reduziram ou aumentaram seu foco. Observe qualquer prazer ou desconforto que surgir, trazendo uma curiosidade amigável ao que estiver sentindo.
8. Caso tenha sensações intensas em qualquer parte do corpo, especialmente se forem desagradáveis e desconfortáveis, você pode constatar que sua atenção é repetidamente atraída para elas e afastada da concentração na respiração e no corpo como um todo. Nesses momentos, você pode mudar sua postura e permanecer atento à intenção de se mover, ao movimento e aos seus efeitos posteriores. Ou então coloque o foco da atenção direto nessa região, explorando as sensações que descobrir ali. Quais são as qualidades dessas sensações? Onde se localizam? Variam com o tempo? Mudam de um lugar para outro? Como na Exploração do Corpo, brinque de usar a respiração como um veículo para transportar a consciência para essas regiões, respirando "para dentro" e "para fora" delas.
9. Abra-se para a sensação do que já existe. Veja se consegue saber o que está sentindo por meio da experiência direta, em vez de pensar a respeito ou de criar significados para as coisas.
10. Sempre que se vir tomado pela intensidade das sensações físicas ou por pensamentos, sentimentos ou devaneios, reconecte-se suavemente com o aqui e agora, focando sua atenção nos movimentos da respiração ou no corpo como um todo.

LIDANDO COM A MENTE DIVAGANTE

Os pensamentos tendem mais a divagar durante "práticas sentadas", como a Meditação da Respiração e do Corpo. Isso pode ser frustrante. Após duas ou três semanas de prática, você pode achar quc dcveria ter feito mais progressos e que jamais será capaz de controlar sua mente. Se serve de consolo, saiba que pessoas com vários anos de experiência ainda sentem isso.

E a razão é simples: o objetivo da meditação não é controlar a mente nem esvaziá-la. Estes são subprodutos positivos da meditação, não seu objetivo. Se sua meta é esvaziar a mente, você se verá num combate violento contra um oponente muito hábil. A atenção plena tem uma abordagem bem mais sábia: é como se fosse um microscópio que revela os padrões mais profundos da mente. E quando você começa a ver a mente em ação, também começa a sentir quando seus pensamentos estão se dispersando.

No momento em que as sensações intensas surgem, você observa como a "dor" é gerada pelo desconforto por meio dos pensamentos que você tem sobre ele. O mero ato de observar os pensamentos os tranquiliza e tende a dissipá-los. Sua mente frenética torna-se mais calma, não porque os pensamentos desapareceram, mas porque você está permitindo que eles sejam como são. Ao menos por um momento. A prática diária permite que você se lembre continuamente disso – já que é algo tão fácil de esquecer.

Essa lembrança, essa mentalização é consciência.

A MEDITAÇÃO DO ESPAÇO DE RESPIRAÇÃO DE TRÊS MINUTOS

Uma das grandes ironias da atenção plena é que ela parece evaporar quando você mais precisa dela. Quando estamos esgotados, tendemos a esquecer que essa prática é útil para lidar com o cansaço. Quando estamos zangados, é difícil lembrar por que deveríamos permanecer calmos. E quando estamos estressados, ficamos tensos demais para meditar. Quando estamos sob pressão, a última coisa que nossa mente deseja é estar atenta – os antigos padrões de pensamento são infinitamente mais sedutores.

O Espaço de Respiração de três minutos[4] foi criado para lidar com tais situações. É uma "minimeditação" que age como uma ponte entre as meditações mais longas e formais e as exigências da vida diária. Muitas pessoas afirmam que esta é a prática mais importante do programa de atenção plena. Embora seja realmente a mais fácil e rápida, o maior desafio é lembrar de fazê-la.

Seu impacto é duplo: em primeiro lugar, é uma meditação para ser feita ao longo do dia, para que você consiga manter uma postura compassiva e atenta, aconteça o que acontecer. Em essência, ela dissolve os padrões de pensamento negativos antes que eles assumam o controle de sua vida. Em segundo lugar, é uma meditação de emergência que lhe permite enxergar claramente as sensações que surgem quando você está sob pressão. Ela permite que você faça uma pausa no momento em que seus pensamentos ameaçam se descontrolar, ajudando-o a recuperar a perspectiva e se ancorar no momento presente.

Esta meditação concentra os elementos centrais do programa em três passos que duram cerca de um minuto cada. Durante a semana três, você deve praticá-la duas vezes ao dia. Você pode escolher os momentos mais convenientes, mas é bom reservar horários regulares e cumpri-los diariamente para que essa prática se torne uma parte de sua rotina. No início, faça a meditação ouvindo o CD (faixa 8), mas depois sinta-se livre para praticar sozinho se quiser, orientando silenciosamente sua própria prática por três minutos, mantendo a estrutura de três passos descritos a seguir. Mesmo se preferir fazer a meditação orientado pelo CD, leia as instruções para se familiarizar com seu padrão de ampulheta (ver p. 110).

Meditação do Espaço de Respiração de três minutos

Faixa 8

Passo 1: tornar-se consciente

Adote uma postura ereta e altiva, seja sentado ou de pé. Se possível, feche os olhos. Depois traga a consciência para sua experiência interior e reconheça-a, perguntando: qual é minha experiência agora?

- Que *pensamentos* estão passando por sua mente? Faça o possível para reconhecê-los como eventos mentais.
- Que *sentimentos* estão presentes? Volte-se para qualquer sensação de desconforto ou emoção desagradável, reconhecendo-os sem tentar mudá-los.
- Que *sensações corporais* estão presentes? Explore o corpo para detectar qualquer tensão ou vigor, reconhecendo as sensações, mas novamente sem tentar manipulá-las.

Passo 2: reunir e concentrar a atenção

Agora, redirecionando a atenção para um ponto limitado, concentre-se nas sensações físicas da respiração no abdômen, expandindo-se quando o ar entra e recuando quando ele sai. Siga cada inspiração e cada expiração. Use a respiração como uma oportunidade de se ancorar no presente. Se a mente divagar, suavemente conduza a atenção de volta à respiração.

Passo 3: expandir a atenção

Agora, expanda o campo de consciência da respiração para incluir o corpo inteiro, como se todo ele estivesse respirando. Caso perceba qualquer desconforto ou tensão, sinta-se livre para trazer seu foco de atenção direto para essa sensação, imaginando que a respiração possa entrar e envolvê-la. Dessa forma você está explorando suas sensações, tornando-se amigo delas, em vez de tentar mudá-las de alguma forma. Quando elas se aquietarem, volte à meditação, consciente de todo o corpo, momento após momento.

A forma de ampulheta do Espaço de Respiração

Durante a Meditação do Espaço de Respiração, deixe que sua concentração assuma a forma de uma ampulheta. O compartimento superior da ampulheta é o primeiro passo da meditação: ali você amplia sua atenção e reconhece o que está entrando e saindo da consciência. Isso permite que você veja se o modo Atuante está em ação e, caso esteja, ajuda-o a desvincular-se dele e acionar o modo Existente. Assim você está lembrando que seu estado mental atual não é concreto, factual, mas governado por pensamentos, sentimentos, sensações físicas e impulsos agindo de forma interligada. O segundo passo é como o gargalo da ampulheta. É onde você passa a concentrar a atenção na respiração na parte inferior do abdômen. Você se concentra nas sensações físicas da respiração, suavemente conduzindo a mente de volta à respiração quando ela se afasta. Isso ajuda a ancorar a mente, assentando-o no momento presente.

O terceiro passo é como o compartimento inferior da ampulheta. Lá você abre sua consciência. Nesse processo, você está se abrindo à vida como ela é, preparando-se para os próximos momentos de seu dia. Aqui você reafirma a sensação de que possui um lugar no mundo – seu conjunto de mente e corpo, com toda a sua paz, dignidade e integridade.

LIBERADOR DE HÁBITOS: VALORIZANDO A TELEVISÃO

Assistir à TV é um hábito comum, e por isso você pode considerá-lo sem importância. É fácil chegar cansado do trabalho, jogar-se na poltrona, ligar a TV e assistir a alguma coisa. Você pode achar que existem coisas mais interessantes para fazer, mas não consegue tomar a iniciativa de fazê-las. Então se critica por ficar na frente da tela, inerte, quando deveria estar realizando algo mais útil. Será que é possível tornar a experiência de ver TV mais valiosa?

Um dia nesta semana escolha alguns programas que você realmente gostaria de assistir. Então, no dia determinado, assista apenas a esses programas, desligando a televisão nos intervalos entre um e outro. Nesse tempo, você pode ler um livro ou jornal, telefonar para um amigo ou parente com quem não fala faz algum tempo, cuidar das plantas ou quem sabe até realizar uma sessão extra de oito minutos de meditação (ou compensar uma que deixou de fazer).

Não deixe de desligar a TV assim que o programa escolhido terminar, voltando a ligá-la mais tarde somente se houver algo que você realmente queira ver. Ao final da noite, registre em um caderno como foi a experiência: não apenas se foi boa ou ruim, mas o que você sentiu. Que pensamentos, sentimentos, sensações corporais e impulsos estiveram presentes? Lembre-se de que a intenção aqui é ajudar a dissolver velhos hábitos que foram desenvolvidos ao longo de muitos anos, portanto não espere milagres. Mas se, como resultado de alguma das práticas que realizou esta semana, você conseguir ver sua vida mais livre, terá dado o primeiro passo para descobrir algo novo: que você não precisa mudar muito do que faz no dia a dia, mas apenas aprender a fazer as mesmas coisas de maneira diferente, envolvendo suas tarefas com o ar fresco da consciência.

Práticas para a semana três[4]

- Oito minutos de Meditação do Movimento Atento (ver pp. 101-103) seguida por oito minutos de Meditação da Respiração e do Corpo (ver pp. 105-106).
- Meditação do Espaço de Respiração de três minutos, praticada duas vezes ao dia (ver p. 109).
- Liberador de Hábitos – "Valorizando a televisão" (ver pp. 109-110).

CAPÍTULO OITO

Semana quatro: ir além dos rumores

João estava a caminho da escola.
Estava preocupado com a aula de matemática.
Tinha medo de não conseguir controlar a turma.
Aquilo não fazia parte das tarefas de um porteiro.[1]

O que você percebeu ao ler essas frases? A maioria das pessoas precisa refazer sua interpretação à medida que lê cada sentença. Primeiro, lhes vêm à mente a imagem de um menininho indo para a escola, preocupado com a aula de matemática. Depois, precisam mudar a cena, imaginando um professor. A seguir, substituem o professor por um porteiro. Esse exemplo ilustra muito bem como a mente atua de forma contínua "nos bastidores" para formar um quadro do mundo. Nunca vemos uma cena em detalhes, mas fazemos inferências com base nos "fatos" que nos são dados. A mente refina as informações, julgando-as, comparando-as com experiências do passado e atribuindo-lhes significado. Esse processo é um malabarismo mental fantástico, realizado e repetido toda vez que lemos uma revista, evocamos uma lembrança, envolvemo-nos em uma conversa ou prevemos o futuro. Como resultado, um mesmo acontecimento pode ser completamente diferente para duas pessoas e se distanciar de qualquer "realidade" objetiva: não vemos o mundo como ele é, mas como *nós somos.*

Vivemos fazendo adivinhações sobre o mundo. Mas não nos damos conta disso; a não ser quando alguém nos prega uma peça, como na situação mencionada. Aí nossa narrativa é desmentida e evapora – antes de se reformular automaticamente e se transformar em uma nova. Com frequência não percebemos a mudança. Ou, se percebemos, sentimos um ligeiro calafrio, como se o mundo mudasse sob nossos pés em questão de segundos. Essa súbita mudança de perspectiva é o ingrediente principal de muitas piadas.

A maneira como interpretamos o mundo faz uma diferença enorme na forma como reagimos. Esse conceito é chamado de "modelo ABC" das emoções. "A" representa a situação em si: o que uma câmera de vídeo filmaria. "B" é a interpretação dada à cena: a narração que criamos da situação, mas que tomamos como fato. "C" são as reações: nossas emoções, sensações corporais e nossos impulsos por ação.

Com frequência, vemos o "A" e o "C" claramente, mas não estamos conscientes do "B". Acreditamos que a própria situação despertou nossas emoções, mas na verdade quem fez isso foi a nossa *interpretação* da cena. É como se o mundo fosse um filme mudo no qual nós criamos os diálogos. Mas eles são criados tão rapidamente que o consideramos parte do filme.

A narração mental do mundo é como um boato. Pode ser verdadeira, mais ou menos verdadeira ou completamente falsa. O problema é que a mente costuma achar difícil detectar a diferença entre fato e ficção depois que começou a construir um modelo mental do mundo. Por essa razão, os boatos podem ser incrivelmente poderosos e sabotar não apenas a mente dos indivíduos, mas de sociedades inteiras.

Poucos exemplos mostram tão bem o poder dos rumores quanto as "operações psicológicas" militares dos Estados Unidos durante a Segunda Guerra Mundial. Naquela época, muitos boatos estranhos e surreais se espalharam, em geral sem qualquer fundamento lógico. Histórias como "Os russos compram a maior parte da nossa manteiga e a usam para lubrificar suas armas" surgiam como que do nada.

O governo americano, desesperado para desmentir tais rumores, tentou todo tipo de abordagem.[2] Uma das primeiras táticas foi transmitir programas especiais de rádio com o objetivo de discutir os boatos e tentar refutá-los. Mas não deu muito certo: como diversos ouvintes mudavam de estação no meio do programa, eles escutavam apenas o rumor e não a explicação que o desmentia. Dessa forma o boato se espalhava ainda mais. Em seguida, o governo criou seções especiais em jornais, em que especialistas combatiam tais histórias explicando sua base psicológica, citando conceitos como "autodefesa" e "projeção mental". No entanto, esses especialistas não tinham evidências concretas em que basear seu argumento, em grande parte porque não se consegue provar uma negação. E havia também outro problema: costumamos dar mais crédito às histórias carregadas de emoção do que à lógica – por mais racionais que sejam os argumentos.

Em muitos aspectos, o estudo dos rumores é o estudo da mente humana, porque nossos pensamentos são como boatos criados na mente. Podem ser verdadeiros, mas podem não ser.

Em retrospecto, podemos ver como ambas as abordagens militares para desmascarar rumores de guerra estavam fadadas ao fracasso – no entanto, adotamos as mesmas técnicas quando tentamos silenciar os rumores na própria mente. Tomemos a autocrítica como exemplo: quando nos sentimos estressados ou vulneráveis, ouvimos apenas a crítica interior, e não a voz tranquilizadora da compaixão. Se ouvimos uma alternativa aos pensamentos perturbadores, não acreditamos nas respostas, pois a força emocional por trás dos pensamentos negativos é tão poderosa que suplanta toda a nossa lógica. Cada vez que a autocrítica começa a falar, logo começamos a enfeitar a história: percorremos nossa mente em busca de indícios que a comprovem e ignoramos tudo o que a refuta.

É de admirar, então, que a "fábrica de rumores" em nossa mente acarrete tanto sofrimento desnecessário? É de surpreender que todas as nossas tentativas de calar esses rumores acabem piorando as coisas?

Em vez de confrontar a fábrica de rumores com lógica e "pensamento positivo", faz mais sentido simplesmente observar os pensamentos se desenrolarem. Isso pode ser complicado. Se olhar de perto os boatos que começam a fluir quando se sente estressado, verá que parecem fazer parte de você. Eles têm grande força e podem determinar as suas crenças sobre si próprio e sobre a situação em que se encontra.

Dê uma olhada na lista de pensamentos que costumam passar pela cabeça das pessoas quando se sentem furiosas, estressadas, infelizes ou exaustas, e veja se você se identifica:

- Não consigo me divertir sem pensar no que ainda precisa ser feito.
- Não posso falhar.
- Por que não consigo relaxar?
- Nunca devo decepcionar as pessoas.
- Depende de mim.
- Devo ser forte.
- Todos confiam em mim.
- Sou o único capaz de fazer isso.
- Não suporto mais isso.
- Não posso desperdiçar um minuto sequer.
- Gostaria de ser outra pessoa.
- Por que eles não fazem isso?
- Por que não estou mais gostando disso?
- O que está acontecendo comigo?
- Não posso desistir.
- Algo precisa mudar.
- Deve haver algo errado comigo.
- Sem mim tudo vai desmoronar.
- Por que não consigo desligar?

Quando estamos estressados e pressionados, esses pensamentos parecem ser a *verdade absoluta*. Mas são, de fato, *sintomas de estresse*, assim como a febre é um sintoma da gripe.

Quanto mais nervoso você fica, mais fortemente acredita em pensamentos como *"Sou o único capaz de fazer isso"*. E com esses pensamentos carregados – que na realidade estão dizendo que somente você será responsável se as coisas saírem erradas –, é claro que sua mente vai reagir e procurar uma rota de fuga! Você quer se libertar da pressão, então começa a pensar coisas do tipo *"Gostaria de sumir daqui"*.

Conscientizar-se de que esses pensamentos são *sintomas de estresse* e não fatos reais permite que você se liberte deles. E isso lhe dá espaço para decidir se vai ou não levá-los a sério. Com o tempo, por meio da prática da atenção plena, é possível observá-los, reconhecê-los e em seguida abandoná-los. A semana quatro do programa lhe mostrará como fazer isso.

As primeiras três semanas do programa foram criadas para treinar a mente, enquanto assentam a base para a atenção plena no dia a dia - um tipo de consciência que permite estar realmente presente no mundo, em vez de se deixar levar por ele no piloto automático. A semana quatro refina esse processo, aumentando sua capacidade de sentir quando a mente e o corpo sinalizam que as coisas estão ficando negativas e que suas reações o estão atraindo para esse turbilhão. Sentir que seus pensamentos estão se voltando contra você é uma coisa; impedi-los de ganhar impulso é outra. Por isso, a próxima etapa do programa oferece uma ferramenta poderosa para ajudá-lo: a Meditação de Sons e Pensamentos.

MEDITAÇÃO DE SONS E PENSAMENTOS[3]

Estamos imersos numa paisagem sonora de enorme profundeza e variedade. Pare um momento para escutar. O que você consegue ouvir? De início você pode perceber uma confusão generalizada de ruído. Talvez consiga captar alguns sons individuais: a voz de um amigo, uma música tocando, uma porta batendo, carros passando, uma sirene a distância, o zunido do ar-condicionado, um avião no céu. A lista é infinita. Mesmo quando você está em uma sala tranquila pode captar sons abafados - mesmo que seja a própria respiração. Até o silêncio contém sons.

Essa paisagem sonora em constante fluxo
é como o fluxo de seus pensamentos.

Nunca há silêncio total. O ambiente flui como as ondas do mar e o vento nas árvores.

A Meditação de Sons e Pensamentos pouco a pouco revela as semelhanças entre som e pensamento. Ambos parecem surgir do nada. Ambos parecem aleatórios, e não temos controle sobre o surgimento de nenhum dos dois. Ambos têm enorme potência e contêm imenso impulso. Desencadeiam emoções poderosas que podem facilmente nos desencaminhar.

Assim como o ouvido é o órgão que recebe os sons, a mente é o órgão que recebe os pensamentos. Da mesma maneira que quando escutamos os sons ativamos na mente seu conceito correspondente – como "carro", "voz" ou "ar-condicionado" –, o surgimento de qualquer pensamento ativa uma rede de associações mentais. Antes que percebamos, a mente salta para um passado que havíamos esquecido ou um futuro totalmente idealizado. Podemos nos sentir zangados, tristes, ansiosos, tensos ou amargurados – apenas porque um pensamento desencadeou uma avalanche de associações.

A Meditação de Sons e Pensamentos ajuda você a se familiarizar com esse processo. Ajuda também a descobrir que é possível se relacionar com os pensamentos perturbadores da mesma forma como se relaciona com os sons. Os pensamentos podem ser comparados a um rádio ligado baixinho ao fundo: você pode ouvir – ou melhor, observar – mas não precisa prestar atenção ao que escuta nem agir com base no que sente. Você provavelmente não sente necessidade de se comportar conforme recomenda uma voz no rádio, então por que deve pressupor que seus pensamentos representam um quadro infalível do mundo? Seus pensamentos são pensamentos. Eles são seus servidores. Por mais alto que gritem, não são seu chefe, não dão ordens que precisam ser obedecidas. Essa percepção tira seu dedo do gatilho e lhe faz tomar decisões mais sábias – com a mente plenamente atenta.

Existem dois elementos-chave na Meditação de Sons e Pensamentos: receber e observar.

Receber

Recebemos os sons à medida que eles vêm e vão ao nosso redor. Nosso corpo é como um microfone que recebe os sons como vibrações no ar. Identificamos cada um com seu volume, tom, altura, padrão e duração. De maneira semelhante, também "recebemos" pensamentos e emoções – vemos o momento em que aparecem, por quanto tempo permanecem e o momento em que se dissolvem.

Observar

Observamos os significados que acrescentamos à experiência dos sons. Nós os rotulamos, buscando aqueles que nos agradam e rejeitando aqueles de que não gostamos. Tentamos perceber esse processo enquanto o fazemos, depois voltando à simples recepção dos sons. Da mesma forma, observamos pensamentos e permanecemos plenamente atentos ao modo como eles criam associações e à facilidade com que somos absorvidos em seu drama.

Meditação de Sons e Pensamentos[3]

Faixa 5

Acomodando-se à respiração e ao corpo

Encontre uma posição sentada, de forma que sua coluna se autossustente, com as costas eretas, mas não rígidas.

1. Sente-se como descrito acima, com os ombros relaxados, a cabeça e o pescoço equilibrados e o queixo ligeiramente retraído.
2. Traga sua atenção aos movimentos da respiração por alguns minutos, até se sentir razoavelmente confortável. Depois expanda sua atenção para captar o corpo como um todo, como se o corpo inteiro estivesse respirando, ficando consciente de todas as sensações físicas que surgirem.
3. Passe alguns minutos praticando a atenção plena da respiração e do corpo assim, lembrando que na prática seguinte você pode sempre voltar a essa prática para retomar a atenção, caso sua mente se torne distraída ou perturbada.

Sons

4. Quando estiver pronto, permita que o foco de sua atenção mude das sensações do corpo para a audição. Fique aberto aos sons que surgem.
5. Não há necessidade de procurar sons. Pelo contrário, na medida do possível, apenas permaneça aberto para receber os sons que surgirem

de todas as direções – sons próximos, distantes, à frente, atrás, do lado, acima ou abaixo. Desse modo, você está se abrindo para a "paisagem sonora" a sua volta. Observe como os sons mais óbvios podem facilmente se sobressair aos mais sutis. Observe quaisquer espaços entre os sons, os momentos de relativo silêncio.

6. Tanto quanto possível, esteja atento aos sons simplesmente como sons, como sensações brutas. Perceba sua tendência de *rotular* os sons assim que os recebe ("carro", "trem", "voz", "ar-condicionado", "rádio") e veja se é possível apenas observar essa rotulação e depois recolocar o foco nas sensações brutas dos próprios sons (inclusive os sons dentro de sons).
7. Você pode perceber que está pensando *sobre* os sons. Veja se consegue se reconectar com a consciência direta das qualidades sensoriais (padrões de tom, timbre, altura e duração) deles e não com seus significados, implicações ou histórias.
8. Sempre que perceber que sua consciência não está mais concentrada nos sons, suavemente reconheça para onde sua mente se moveu e depois volte a sintonizar sua atenção nos sons surgindo e desaparecendo, momento a momento.
9. Depois de ter se concentrado nos sons por quatro ou cinco minutos, abandone a consciência deles.

Pensamentos

10. Agora mude o foco de sua atenção de modo que seus *pensamentos* estejam no centro da consciência – vendo-os como *eventos mentais.*
11. Assim como fez com os sons, atente para os pensamentos que surgem na mente, observando quando chegam, quanto tempo duram e o momento em que se vão.
12. Não há necessidade de tentar fazer os pensamentos chegarem ou irem embora. Da mesma forma como você se relacionou com o vaivém dos sons, deixe os pensamentos chegarem e partirem sozinhos.
13. Assim como as nuvens às vezes são escuras e tempestuosas, outras vezes leves e felpudas, os pensamentos também assumem diferen-

tes formas. Às vezes as nuvens enchem todo o céu. Outras, desaparecem por completo, deixando o céu claro.

14. Você também pode prestar atenção aos pensamentos passando na mente como se fossem projetados numa tela de cinema – você se senta, observa e aguarda o surgimento de um pensamento ou imagem. Assim, você o observa enquanto está "na tela", e depois deixa que vá embora. Perceba sua tendência de se envolver no drama e fazer parte do filme. Quando se der conta disso, parabenize-se e retorne a sua poltrona, aguardando pacientemente pela próxima sequência de pensamentos.
15. Se qualquer pensamento trouxer sentimentos ou emoções intensas, sejam agradáveis ou não, observe sua "carga emocional" e permita que sejam como são.
16. Caso sinta que sua mente perdeu o foco e se dispersou, ou que está sendo atraída pela história criada por seu pensamento, tente voltar à respiração e à sensação do corpo como um todo, sentado e respirando, usando esse foco para estabilizar sua consciência e ancorá-la no momento presente.

OBSERVAR PENSAMENTOS E SENTIMENTOS

O que você observa quando faz a Meditação de Sons e Pensamentos? Lembre-se de que não existe forma certa ou errada de sentir – não há sucesso nem fracasso.

Dana constatou algo estranho quando se concentrava no pensamento: "Quando estava me concentrando nos sons, os pensamentos apareciam, densos e rápidos, interferindo nos sons, mas quando comecei a me concentrar nos pensamentos, eles desapareceram."

Isso costuma acontecer. À luz da consciência, os pensamentos parecem tímidos. Por quê? Eis uma explicação: pensamentos consistem em uma centelha momentânea de atividade cerebral, seguida por uma expansão lenta de ativação ao longo de uma rede bem maior de associações. A centelha pode até ser um "pulso" bem curto (provavelmente correspondendo a uma imagem breve), mas o que consideramos um "pensamento" é composto daquele pulso momentâneo e de uma cauda subsequente. A cauda segue o pulso como um séquito seguindo um rei ou uma rainha. O séquito é como a linguagem interior, com sujeito, objeto, verbos, substantivos e adjetivos, tudo encadeado numa corrente de associações que evocam novas imagens, que provocam mais discurso interno. Como grande parte desse séquito compreende meras associações desencadeadas pelo hábito, o ato de trazer a plena consciência ao processo de pensamento dissolve o encadeamento da linguagem interna, deixando você mais consciente apenas dos próprios pulsos. Assim, os pensamentos perdem força e efeito. É claro que não costuma demorar até que eles achem uma lacuna na consciência para iniciarem um novo encadeamento, e aí, outra vez, você começa a ver o séquito que acompanha o pulso. Assim, toda a sequência de pensamento começa a ganhar impulso até que você seja atraído pelo fluxo de pensamentos. Durante a Meditação de Sons e Pensamentos, Simon não conseguiu se concentrar: "Sofro de tinido auditivo – um zumbido agudo ao fundo o tempo todo. Quando estava ouvindo os sons, o tinido tornou-se mais proeminente. Foi muito incômodo. Normalmente, tento ignorá-lo, mas fico frustrado. Aquilo realmente estragou tudo para mim."

Muitas coisas podem perturbar nossa prática, mas o zumbido pode ser um visitante particularmente importuno. É como uma dor crônica, incessante e invasiva. As pessoas inventam diferentes formas de enfrentá-lo. Durante o dia, quando existem muitos outros sons em volta, ele parece suportável, mas à noite, quando se tenta adormecer, pode ser enlouquecedor. A meditação que enfoca os sons pode soar como o oposto de "enfrentá-lo", pois parece dar ao zumbido ainda mais força. Então por que persistir? A experiência de Simon mostra por quê: "Tentei aceitar que o zumbido estivesse lá, junto com todos os outros sons do local. O ruído nos ouvidos não diminuiu, mas meus pensamentos sobre ele pareceram reduzir – acho que o estava combatendo menos, e, portanto, ficou mais fácil relaxar. Eu já havia tentado relaxar antes, mas sempre parecia uma tentativa desesperada de ignorar o ruído. Jamais havia permitido que ele simplesmente permanecesse ali. A sensação foi diferente. E libertadora." Observe a disposição de Simon de experimentar, de explorar o que o incomodava. Ao voltar sua atenção exatamente para aquilo que o estava incomodando, ele percebeu que o zumbido não era apenas o som, mas todo o séquito de pensamentos e sentimentos angustiados que o estavam atacando e perturbando sua paz de espírito.

A experiência de Sharon mudou drasticamente após alguns minutos de meditação. "Pareceu fácil no início porque não tinha nenhum pensamento. Aí senti todo o meu corpo ficando leve, flutuando. Foi ótimo, mas quando a sensação desapareceu, fiquei desapontada. Então comecei a lembrar de outras situações que me decepcionaram, e acabei ficando muito triste. Que montanha-russa desagradável!" Sharon havia experimentado como o padrão meteorológico na mente pode mudar em um instante. Num momento estava curtindo a sensação de flutuar, no momento seguinte, o desapontamento liberou um fluxo de pensamentos e associações indesejados.

O fluxo de pensamentos é tão poderoso que pode nos envolver sem que percebamos. Por exemplo: você está sentado à beira de um riacho, observando seus pensamentos como se fossem folhas flutuando na corrente. De repente, você descobre que andou feito sonâmbulo até o meio do rio. Um pouco depois você acorda e vê que submergiu na água, mergulhando no fluxo de pensamentos. Quando isso ocorre, você poderá se congratular por ter acordado, depois compassivamente reconhecer que sua mente divagou, puxar-se de volta à beira do rio e começar tudo de novo. O meditador experiente não é alguém cuja mente não divague, mas que se acostumou a recomeçar.

Quando você está se sentindo especialmente irritado ou tenso, o fluxo de pensamentos não é um riacho murmurante e manso, e sim um tsunami de enorme poder que o arrasta, entre chutes e gritos. Leva vários minutos até que você perceba que foi arrastado da meditação. Você esquecerá se estava se concentrando na respiração, no corpo ou nos sons. Essa confusão costuma ocorrer quando começamos a meditar sem ouvir um CD de orientação. Nessas ocasiões, você pode se estabilizar concentrando-se na respiração entrando e saindo do corpo, sem se forçar muito. Após alguns momentos, você se lembrará do ponto que havia alcançado e será capaz de recomeçar, retomando o fio da meada.

É particularmente difícil notar os pensamentos que fogem do radar e não são vistos como "pensamentos".

Alguns pensamentos são fáceis de identificar. Talvez você se pegue pensando "Como será o jantar de hoje à noite?" e então perceba: "Ah, estou pensando no jantar." Porém, você pode subitamente se lembrar de um e-mail que pretendia mandar e começar a planejar voltar para o computador. Então, você acabará vendo que *isso também* foi um pensamento. Mas se você disser "Isso não está dando certo, estou divagando demais", pode ter dificuldade de identificar esses autojulgamentos como "pensamentos". Eles parecem mais "verdadeiros", como comentários realistas sobre si mesmo.

Assim, se usarmos a ideia do cinema para compreender esse conceito, precisamos estar conscientes não apenas do que está passando na tela, mas também dos sussurros e comentários que vêm das pessoas sentadas nas poltronas atrás de nós. Alguns pensamentos simplesmente não parecem pensamentos e requerem mais atenção. É nos momentos de tensão e confusão que mais aprendemos, pois é quando conseguimos ver melhor os pensamentos como eventos mentais (e não um reflexo da realidade) e vislumbramos a possibilidade de liberdade.

Algumas dessas práticas parecem um pouco repetitivas – e são mesmo. A meditação é uma prática simples que ganha poder com a repetição. Por meio dela nos conscientizamos dos padrões repetitivos de nossa mente. Paradoxalmente, a repetição meditativa evita que fiquemos repetindo os mesmos erros do passado e nos liberta do piloto automático que gera pensamentos autodestrutivos e atitudes nocivas. Com a repetição, sintonizamos as diferenças sutis trazidas por cada momento.

Pense na meditação como o ato de plantar sementes: você fornece às sementes as condições certas, mas não as desenterra todos os dias para ver se nasceram raízes. A meditação é como cultivar um jardim: sua experiência se aprofunda e se transforma, mas isso ocorre no tempo da natureza, não no tempo do relógio.

A MEDITAÇÃO DO ESPAÇO DE RESPIRAÇÃO DE TRÊS MINUTOS

Agora que você se familiarizou com a prática da Meditação do Espaço de Respiração de três minutos (ver p. 109), pode usá-la toda vez que se sentir sob pressão. Com o tempo, você verá que consegue fazer essa meditação sempre que precisar. Caso sinta pensamentos perturbadores ou autodestrutivos surgindo dentro de você, pratique o Espaço de Respiração para recuperar a perspectiva.

Meditação da Fila Frustrante

Quando você estiver numa enorme fila de supermercado, por exemplo, veja se consegue se conscientizar de suas reações. Será que você entrou na fila "errada" e está obcecado pela ideia de ir para outra que parece menor? Em momentos assim, é bom "checar" o que está ocorrendo em sua mente, identificar em que modo mental você está. Pare um instante e indague a si mesmo:

- O que está passando pela minha mente?
- Que sensações existem no meu corpo?
- De que reações e impulsos emocionais estou consciente?

Se, em qualquer situação, você constatar que está dominado pela necessidade de "avançar", frustrado porque as coisas estão indo mais devagar do que esperava, é provável que esteja no modo Atuante. Tudo bem: não é errado. A mente está tentando fazer o seu melhor.

A atenção plena aceita que algumas experiências são desagradáveis.

A atenção plena permitirá que você separe os dois grandes tipos de sofrimento: o primário e o secundário. O sofrimento primário é o fator estressor inicial, como a frustração de estar numa fila comprida. Você pode reconhecer que não é agradável, mas que é normal não gostar disso. O sofrimento secundário é toda a turbulência emocional que se segue, como raiva e irritação, assim como os pensamentos e sentimentos subsequentes. Tente enxergá-los com clareza. Veja se é possível permitir que a frustração esteja presente sem tentar expulsá-la.

Erga-se. Respire. Permita. Esteja aqui.
Este momento também é um momento de sua vida.

Você ainda pode sentir pulsos de frustração e impaciência enquanto está na fila, mas esses sentimentos terão menos tendência a sair do controle.

A Meditação do Espaço de Respiração é infinitamente flexível. Você pode estendê-lo ou encurtá-lo de acordo com as circunstâncias em que se encontra. Por exemplo, caso se sinta ansioso antes de uma reunião, você pode fechar os olhos e fazer a prática em cerca de um minuto. Suellen, de 15 anos, usava essa meditação antes de suas aulas mais difíceis. Ao entrar na sala, respirava três vezes para se ancorar, concentrava sua atenção na respiração e no corpo e se sentia pronta para a aula. No caso dela, a meditação ocupava no máximo alguns segundos. Mas se você se sente prestes a explodir de raiva, pode dedicar dez minutos à prática. De qualquer modo, veja se consegue conservar a forma de ampulheta a que nos referimos no capítulo anterior (ver p. 110), com os três "passos" distintos, começando pelo reconhecimento do padrão meteorológico da mente e do corpo. Nesse primeiro passo, pergunte quais pensamentos, sentimentos, sensações corporais e impulsos estão surgindo. Depois, vá para o segundo passo, concentre-se e ancore-se enfocando a respiração, antes de finalmente expandir o foco da atenção para seu corpo como um todo no terceiro passo.

O Espaço de Respiração não visa apenas a evitar problemas – também é bem útil quando a mente já se descontrolou. Se você está esmagado pela tristeza, raiva, ansiedade ou pelo estresse, realizar essa prática é a forma perfeita de recuperar a atenção e a calma. Nos momentos de muita emoção, você pode sentir a tensão em seu corpo, sua respiração perturbada e os saltos de pensamentos. Portanto, pegue esses momentos e use-os como um laboratório poderoso para sondar o funcionamento de sua mente.

À luta novamente?

É tentador usar o Espaço de Respiração da forma errada, como um meio de corrigir as coisas ou evitar aborrecimentos. Em sua essência, esta prática não é uma fuga da vida diária, nem mesmo o equivalente a uma xícara de chá ou a uma soneca, embora essas coisas também tenham lá seu valor. A Meditação do Espaço de Respiração é um momento de recuperar a consciência, de adquirir uma sensação renovada de perspectiva e, assim, ver qualquer padrão de pensamento negativo que possa estar ganhando impulso. Isso pode parecer difícil de entender, então vamos fazer uma analogia para ajudar:[4]

Tente se lembrar de uma vez em que foi surpreendido por um temporal. A chuva não parava, você não tinha capa nem guarda-chuva. Seus sapatos estavam encharcados. Após alguns momentos, você encontrou um abrigo num ponto de ônibus e relaxou um pouco. Você se sentiu protegido e um pouco mais no controle. Mas logo percebeu que a chuva não iria parar – na verdade, parecia que ia piorar ainda mais. Ficou claro que, mais cedo ou mais tarde, você teria que sair dali e enfrentar o temporal. Você tinha duas opções.

Se você viu o abrigo como uma trégua para a chuva, deve ter começado a maldizer sua sorte, ficando cada vez mais perturbado. Deve ter se irritado por não ter levado um guarda-chuva. Seu humor afundou e sua felicidade foi embora. Seus pensamentos giravam em círculos enquanto você tentava encontrar uma maneira de permanecer seco. Nesse caso, o abrigo, em vez de ser uma trégua da tempestade, acabou potencializando e prolongando seu sofrimento.

Se, porém, você viu o abrigo como um Espaço de Respiração, sua experiência pôde ser completamente transformada. Uma vez que você percebeu que a tempestade estava piorando, pôde encarar a história por um ângulo diferente. Mesmo não gostando da situação, sabia que não haveria jeito de fugir da chuva e que teria que se molhar. Você veria que ficar zangado por causa da chuva não o manteria seco, mas pioraria ainda mais a situação: ficaria molhado por fora *e* revoltado por dentro. Aceitando o inevitável (não no sentido de resignação, mas de voltar-se para ele), grande parte do sofrimento teria chance de desaparecer. Você poderia até enxergar os detalhes pitorescos da cena: o poder das gotas de chuva e a forma como ricocheteavam nas calçadas, as pessoas correndo na tentativa de evitar a chuva, os pequenos animais procurando abrigo. Talvez até conseguisse sorrir.

Nos dois cenários, você ficou ensopado até a alma – mas, no primeiro, seu aborrecimento foi multiplicado pelo sofrimento que você infligiu a si mesmo, enquanto, no segundo, sua mudança de perspectiva o deixou tranquilo. Quem sabe você até se fortaleceu com a experiência?

O Espaço de Respiração não é um rompimento ou um desvio da realidade, mas uma forma de se reorganizar em relação a ela.

Depois de terminar a meditação, temos a tendência de voltar a agir do mesmo jeito de antes. A atenção plena proporciona a opção de agir mais habilmente, portanto use os momentos tranquilos após a meditação para decidir – conscientemente – o que você deseja fazer a seguir. Exploraremos quatro opções nas próximas quatro semanas.

Seguindo em frente

Você pode usar sua recém-descoberta consciência para continuar o que estava fazendo antes do Espaço de Respiração, só que mantendo atenção plena. Fique atento ao fluxo de pensamentos e à tendência de se envolver com eles. Viver o momento seguinte de forma mais atenta significa priorizar seu tempo, em vez de tentar fazer tudo simultaneamente. Ou pode significar aceitar que as pessoas se comportam de uma maneira que você desaprova, mas que não há nada que se possa fazer a respeito. Evite usar o Espaço de Respiração como uma pausa ou como um meio de "corrigir" um problema. A meditação não resolve nada a curto prazo. Mas fornece a perspectiva para você agir de forma mais sábia.

LIBERADOR DE HÁBITOS: INDO AO CINEMA

Convide um amigo ou parente para ir ao cinema – mas, desta vez, faça diferente: chegue no horário marcado, mas *escolha o filme apenas quando chegar lá*. Muitas vezes, o que nos deixa mais felizes na vida é o inesperado, o encontro fortuito, o acontecimento imprevisto. Cinemas são ótimos para tudo isso.

A maioria só vai assistir a um filme quando existe algo específico que queira ver. Se você chegar no horário combinado e *aí* escolher o que vai ver, a experiência será totalmente diferente. Você pode acabar vendo (e adorando) um filme que nunca pensou em assistir. Só esse ato já abre seus olhos e aumenta sua consciência.

Antes de ir ao cinema, observe quaisquer pensamentos do tipo "Não tenho tempo para isso" ou "E se não houver nada que me agrade?". Eles solapam seu entusiasmo por agir; são verdadeiras armadilhas da vida diária, desencorajando sua intenção de fazer algo que poderia revigorá-lo. Uma vez dentro da sala de exibição, esqueça tudo e mergulhe no filme.

Práticas para a semana quatro

- Uma meditação da Respiração e do Corpo de oito minutos (ver pp. 105-106, faixa 4 do CD).
- Uma meditação de Sons e Pensamentos de oito minutos logo em seguida. Pratique esta sequência duas vezes ao dia (ver pp. 118-120, faixa 5 do CD).
- Uma meditação do Espaço de Respiração de três minutos (ver p. 109, faixa 8 do CD), duas vezes ao dia e sempre que precisar dela.

CAPÍTULO NOVE

Semana cinco: enfrentar as dificuldades

Elana Rosenbaum, professora de meditação no Center for Mindfulness em Worcester, Massachusetts, estava no meio de um curso de atenção plena de oito semanas (mais ou menos onde estamos no nosso programa agora) quando descobriu que seu câncer havia voltado. Ela sabia que sua única esperança era um transplante de células-tronco e novas sessões de quimioterapia. Sentiu dor e medo ao se preparar para outra batalha. Perguntou a si mesma se os riscos valeriam o esforço:

> *Eu temia enfrentar o tratamento novamente, mas queria ficar viva o máximo de tempo possível. Percebi que teria de pensar não apenas em mim, mas também no meu marido. Ele não queria me perder. Ser capaz de terminar de ministrar meu curso era impossível, e o peso da responsabilidade me oprimia. Eu esperava poder dar mais uma ou duas aulas antes de ir para o hospital. Queria ser capaz de guiar minha turma. Não gostei de admitir que estava irritada e que precisava manter o equilíbrio.*[1]
>
> *Lembro de um dia em que estava sentada com outros professores e disse, com um suspiro cansado: "Se pudesse, eu não daria aula amanhã." Todos olharam para mim e disseram: "Você pode. Nós a ajudaremos."*
>
> *Fiquei ali sentada, perplexa. Jamais me ocorrera que eu podia parar de ensinar. Sabia que estava contrariada e cansada, mas até aquele momento não percebera que vinha me agarrando a minha identidade como professora e que era tão difícil admitir a vulnerabilidade. Parecia fugir da responsabilidade.*

Não ensinar significava admitir que eu estava doente, reconhecer que estava assustada e que minha energia estava sendo destruída pelo medo, pela dor e pelas preocupações antecipatórias.

Eu queria servir de modelo para a minha turma, mas ensinar independentemente das circunstâncias era falso. A gentileza e a compaixão dos meus amigos e dos meus colegas me ajudou a ver a verdade da situação. Eles não disseram: "Como você pode parar no meio do curso?"

Meus "deveria" e "teria" se dissolveram. Ao aceitar a ajuda, minha luta cessou. Com tristeza e alívio, decidi que minha amiga Ferris daria aula no meu lugar. No dia seguinte, Ferris e eu fomos à aula juntas. Enquanto a turma se posicionava, comecei uma meditação:

Abandonando tudo menos este momento,
permita-se deixar para trás o trabalho,
os pensamentos do dia que passaram,
ou da noite que virá.
Simplesmente siga sua respiração.
Ao inspirar, volte sua atenção à inspiração,
ao expirar, volte-a plenamente à expiração,
permitindo que ela seja como é,
sem tentar mudá-la de modo algum.[2]

Em seu livro *Here for Now*, Elana descreve com uma beleza simples e pungente sua jornada por esse período tão difícil. Mas essa jornada não se tratou apenas da luta contra o câncer. Como disse seu colega Saki Santorelli, "tratou-se de um desejo de prosperar em face da morte; de escolher a vida em meio à completa incerteza; de dizer sim à luminosidade que é o núcleo de nossa herança humana".

E quanto ao restante de nós? Como estamos nos relacionando com as coisas que dia após dia nos recordam de nossas vulnerabilidades? É essa pergunta que nos fazemos na semana cinco do programa de atenção plena.

Sempre que defrontamos com uma dificuldade – seja a tensão no emprego, uma doença, a exaustão ou a tristeza – é natural tentarmos nos livrar dela. Podemos fazê-lo de inúmeras formas: tentando "solucioná-

-la", ignorando-a ou soterrando-a sob uma pilha de distrações. Todos usamos essas estratégias, embora elas não funcionem mais. Por que fazemos isso?

Primeiro, esses métodos pareciam funcionar tão bem no passado que parece lógico continuarmos usando a mesma tática. Segundo, simplesmente não queremos admitir nossa impotência e vulnerabilidade porque tememos o julgamento dos outros. E, no fundo, talvez tenhamos medo de perder nossos amigos e ficar sozinhos. Porém, mais cedo ou mais tarde chega um ponto em que essas estratégias deixam de funcionar, porque nosso combustível acaba ou porque as dificuldades se mostram realmente insolúveis. Quando atingimos essa encruzilhada, temos duas opções. Podemos insistir e fingir que não há nada de errado (e levar uma vida cada vez mais miserável) ou podemos adotar uma forma diferente de nos relacionar conosco e com o mundo. Essa última abordagem é a *aceitação* de nós mesmos e daquilo que está nos incomodando. Ela significa voltar-se para a situação e ser amigável com ela, mesmo quando – na verdade, especialmente quando – não gostamos dela. A aceitação no contexto da atenção plena não é a aceitação passiva do intolerável. Não é desistir nem se render. A atenção plena nada tem a ver com "desligar-se" das coisas. Olhe para Elana Rosenbaum: ela queria sua saúde, seu marido, sua vida. E para isso, precisava estar *ligada* – mais do que em qualquer outro momento da sua vida.

Atenção plena não é desligamento.

Então o que queremos dizer com aceitação? A origem da palavra vem de receber ou apoderar-se de algo, captar, compreender. Assim, aceitação permite abraçar a compreensão verdadeira e profunda de como as coisas realmente são. Aceitação é uma pausa, um período de deixar ser, de visão clara. Aceitar nos torna menos propensos às reações automáticas. Permite que nos tornemos plenamente conscientes das dificuldades, com todas as suas nuances dolorosas, e nos faz reagir a elas da forma mais hábil – e mostra que, às vezes, a melhor maneira de reagir é não fazer absolutamente nada.

Em suma, a aceitação plena nos dá escolhas.

Rumi, o poeta sufista do século XIII, sintetizou bem essa verdade ao escrever "A hospedaria":

> Ser humano é como ser uma hospedaria
> onde todas as manhãs há uma nova chegada.
> Uma alegria, uma depressão, uma mesquinharia,
> uma percepção momentânea chega,
> como visitantes inesperados.
>
> Acolha e distraia a todos!
> Mesmo se for uma multidão de tristezas,
> que varre violentamente sua casa
> e a esvazia de toda a mobília,
>
> mesmo assim, honre a todos os seus hóspedes.
> Eles podem estar limpando você
> para a chegada de um novo deleite.
> O pensamento escuro, a vergonha, a malícia,
> receba-os sorrindo à porta, e convide-os a entrar.
>
> Seja grato a quem vier,
> porque todos foram enviados
> como guias do além.

Claro que essa aceitação total pode ser complicada. Algumas pessoas tropeçam nesse ponto. Algumas continuam repetindo as meditações que descrevi nos capítulos anteriores; outras abandonam a prática por completo. Esperamos que você continue com a semana cinco, porque – não é exagero dizer – todos os capítulos anteriores o conduziram até aqui. As meditações até agora funcionaram como as práticas necessárias para fortalecer os "músculos" da atenção. Elas aumentaram sua concentração e sua consciência de tal forma que você agora é capaz de embarcar na Meditação de Explorar as Dificuldades.

Aconteça o que acontecer na próxima semana, sempre trate a si mesmo com compaixão. Repita as meditações quantas vezes quiser (realize pelo menos o mínimo recomendado). Ninguém está fazendo uma contagem de seu "progresso" e você tampouco precisa fazer.

O rei que achou mais fácil viver com suas dificuldades[3]

Havia um rei que tinha três filhos. O primeiro era formoso e bem popular. Quando fez 21 anos, seu pai construiu um palácio na cidade para ele morar. O segundo filho era inteligente e também popular. Quando completou 21 anos, seu pai também construiu um palácio na cidade para ele. O terceiro filho não era formoso nem inteligente, e era antipático e impopular. Quando chegou aos 21 anos, os conselheiros do rei disseram: "Não há mais espaço na cidade. Construa um palácio extramuros para seu filho. Ordene que seja um palácio forte e envie alguns de seus guardas para protegê-lo dos malfeitores que vivem fora das muralhas da cidade." O rei aceitou a sugestão.

Um ano depois, o filho enviou uma mensagem ao pai: "Não posso viver aqui. Os malfeitores são fortes demais." Os conselheiros disseram ao rei: "Construa outro palácio, maior e mais forte, a 30 quilômetros de distância da cidade e dos malfeitores. Com mais soldados, conseguirá resistir aos ataques das tribos nômades que passam por aquela rota." Assim, o rei construiu tal palácio e enviou cem de seus soldados para protegê-lo.

Um ano depois, chegou uma mensagem do filho: "Não posso viver aqui. As tribos são fortes demais." Assim os conselheiros disseram: "Construa um castelo enorme, a 150 quilômetros de distância. Será grande o suficiente para abrigar quinhentos soldados e forte o bastante para resistir aos ataques dos povos que vivem além da fronteira." O rei fez o que foi sugerido. Mas um ano depois, o filho enviou uma nova mensagem ao rei: "Pai, os ataques dos povos vizinhos são fortes demais. Eles atacaram duas vezes; temo que eu e seus soldados não resistamos caso ataquem novamente."

E o rei disse aos seus conselheiros: "Deixem que ele venha para casa e more no palácio comigo. Pois é melhor aprender a amar meu filho do que gastar toda a energia e os recursos do meu reino mantendo-o a distância."

Essa história do rei encerra uma lição importante: a longo prazo, é mais fácil e eficaz conviver com as dificuldades do que gastar recursos para combatê-las.

NA PONTA DOS PÉS RUMO À ACEITAÇÃO

A aceitação vem em duas etapas. A primeira envolve observar a tentação de expulsar ou suprimir sentimentos, emoções, sensações físicas e pensamentos perturbadores. A segunda é recebê-los "sorrindo à porta" e "honrar a todos", como sugere Rumi. Pode ser uma experiência difícil e, ocasionalmente, dolorosa, mas não é tão ruim quanto se resignar a uma vida pontuada de angústias. O segredo é dar pequenos passos de cada vez.

A sequência inicial desta semana de duas meditações de oito minutos prepara a mente e o corpo para a terceira, a Meditação de Explorar as Dificuldades: as duas primeiras são formas de se ancorar, para que possa obter uma perspectiva mais clara de si mesmo e do mundo.

A Meditação de Explorar as Dificuldades o convida a trazer situações perturbadoras à mente e depois observar como o corpo reage a elas. É mais eficiente trabalhar com o corpo porque a mente tende a tentar suprimir a negatividade ou resolver o que o está incomodando. Por outro lado, enfocar o corpo coloca um pequeno espaço entre você e o problema, de forma que não se envolva diretamente com ele. Em certo sentido, você usa o corpo para reagir à negatividade, em vez de usar a mente analisadora.

Você está processando a mesma matéria-prima, mas permitindo que a parte mais sábia e profunda do conjunto mente-corpo faça seu trabalho. Essa abordagem possui outros benefícios: as reações do corpo fornecem um "sinal" mais claro e coerente; e as sensações físicas tendem a fluir, o que ajuda a perceber que os estados mentais também mudam de um momento para outro.

Tudo muda: até mesmo os piores cenários possíveis, imaginados em seus momentos mais sombrios.

Você verá esse processo se desenrolar ao usar a Meditação de Explorar as Dificuldades, detalhada a seguir (faixa 6 do CD).

Meditação de Explorar as Dificuldades

Faixa 6

Sente-se por alguns minutos, concentrado nas sensações da respiração, depois ampliando sua consciência para englobar o corpo como um todo (ver Meditação da Respiração e do Corpo, pp. 105-106). Depois passe a se concentrar nos sons e pensamentos (ver pp. 118-120).

Enquanto está sentado, caso perceba que sua atenção está sendo desviada da respiração (ou de outro foco) para pensamentos, sensações ou sentimentos dolorosos, você pode fazer algo diferente do que temos praticado até agora.

O primeiro passo é *permitir* que o pensamento ou sentimento *permaneça* "na mesa de trabalho da sua mente".

Segundo, desvie sua atenção para o corpo, para se tornar consciente de qualquer sensação física que esteja ocorrendo junto com o pensamento ou emoção.

Terceiro, deliberadamente desloque o foco da atenção para a parte do corpo onde a sensação é mais forte. A respiração pode fornecer um veículo útil para tal, portanto – como você praticou na Exploração do Corpo – leve uma consciência gentil e amigável para essa parte do corpo, "respirando para dentro" dela na inspiração e "respirando para fora" dela na expiração.

Uma vez que sua atenção se aproximou das sensações corporais e elas estão em primeiro plano no campo de percepção, lembre-se de que você não está tentando mudar essas sensações, e sim explorá-las com curiosidade. Pode repetir para si mesmo coisas como: "*Tudo bem eu me sentir assim. Seja o que for, posso me permitir ser aberto para isso."*

Depois, veja se é possível permanecer consciente dessas sensações corporais e observe seu relacionamento com elas. Você está tentando se livrar delas ou consegue aceitá-las como são? Pode ser bom repetir internamente: *"Está tudo bem. Seja o que for, posso me abrir"*, usando cada expiração para relaxar e se abrir às sensações.

Se nenhuma dificuldade ou preocupação vier à tona durante essa meditação, e você quiser explorar essa nova abordagem, traga à mente um problema que tenha em sua vida no momento. Não precisa ser nada muito importante, mas deve ser algo desagradável, ainda não resolvido. Pode ser um mal-entendido ou uma discussão, uma situação sobre a qual você se sinta zangado, pesaroso ou culpado, ou uma preocupação com algo que poderia ocorrer. Se nada vier à mente, escolha algo do passado, seja recente ou distante, que certa vez o incomodou.

Agora, uma vez que o pensamento incômodo foi trazido à mente, permita que ele repouse na sua mesa de trabalho mental, depois dirija sua atenção para o corpo e entre em sintonia com quaisquer sensações físicas que a dificuldade esteja evocando.

Observe os sentimentos que surgem em seu corpo. Conscientize-se dessas sensações físicas, voltando seu foco de atenção para a região do corpo onde elas são mais fortes, respirando para dentro dessa parte do corpo na inspiração e respirando para fora dela na expiração, explorando as sensações, observando sua intensidade aumentar e diminuir enquanto você as abriga na consciência.

Talvez você queira aprofundar essa atitude de aceitação e abertura a quaisquer sensações que esteja experimentando, dizendo para si mesmo: *"A sensação está aqui agora. Tudo bem eu sentir isso. Seja o que for, já está aqui. Vou me abrir para isso."*

Depois veja se é possível conservar a consciência dessas sensações corporais e seu relacionamento com elas, respirando com elas, aceitando-as, deixando que existam, permitindo que sejam como são. Relaxe e abra-se para essas sensações, abandonando a tensão e a resistência. Diga a si mesmo: *"Acalmando, abrindo-me"* a cada expiração.

Quando perceber que as sensações físicas já não atraem tanto a sua atenção, simplesmente retorne à respiração e continue a fazer dela o alvo básico da atenção.

Se, nos próximos minutos, nenhuma sensação corporal poderosa surgir, sinta-se livre para tentar respirar "para dentro" e "para fora" de *quaisquer* sensações corporais que perceber, ainda que não pareçam associadas a nenhuma carga emocional específica.

Explorando a aceitação dia após dia

Quando você for orientado a *trazer à mente uma dificuldade*, lembre-se de que não precisa ser um problemão – apenas algo que você possa trazer à mente com facilidade. Pode ser uma pequena desavença com um colega, a ansiedade por causa de uma viagem ou uma decisão que precise tomar. Você pode se surpreender com o poder da reação, mas esteja atento à tendência de querer se envolver com o problema, analisando, resolvendo, remoendo. Em vez disso, o objetivo é voltar a atenção para o corpo, de modo a perceber, momento após momento, suas reações físicas aos pensamentos. Como nas meditações anteriores, veja se consegue manter uma percepção gentil e compassiva que esteja imbuída de ternura e curiosidade.

Ao permitir que essa percepção compassiva envolva seu corpo, fique plenamente atento à localização física de qualquer desconforto. Com frequência aparecem tensões nos ombros e no pescoço. Temores às vezes provocam taquicardia. A expectativa pode dar um "frio" no estômago. Dores inesperadas podem surgir e desaparecer. Articulações talvez comecem a doer, músculos se retesam. Você pode sentir falta de ar ou tontura. O corpo tem um milhão de formas diferentes de reagir a situações perturbadoras, e essa meditação proporciona a chance de descobrir onde seu corpo localiza seu sofrimento.

Às vezes as reações do corpo são imperceptíveis, em outras ocasiões podem chegar com grande rapidez de diferentes lugares simultaneamente. Qualquer que seja o caso, volte sua consciência para onde as sensações forem mais fortes. Conscientize-se dessa parte do corpo "respirando para dentro" dela na inspiração, e "respirando para fora" dela na expiração. Após alguns momentos, quando estiver plenamente atento às sensações, diga a si mesmo: *"Tudo bem eu sentir isso. Posso me abrir para isso."* Permaneça com essas sensações físicas, aceitando-as, deixando que sejam como são, explorando-as sem julgamento na medida do possível. Use a mesma abordagem ao desconforto corporal ou mental como uma oportunidade de se aproximar do limite sem forçar nada. Assim como você se aproximou e explorou os "limites" do alongamento, tente fazer o mesmo com a dificuldade que trouxe à mente.

Se você sentir que a reação mental ou física está se tornando forte demais – se sentir a aversão entrando em cena – lembre-se de que não precisa mergulhar completamente de uma vez. Sinta-se livre para dar um passo atrás, desviando sua atenção da dificuldade, mantendo a consciência impregnada de ternura, compaixão e curiosidade. Se, após alguns momentos, você se sentir confiante de novo, dê um passo à frente e traga a dificuldade de volta à mente, concentrando-se de novo nas reações de seu corpo. É a sensação da reação do seu corpo que importa. Você está aprendendo como dissolver o primeiro elo da cadeia de espirais negativas. Seu corpo está processando seus conflitos de uma forma radicalmente diferente. Ao abandonar a necessidade de "corrigir" as coisas, uma cura mais profunda tem a chance de começar.

Ao explorar as reações em seu corpo, veja se consegue obter – sem fazer perguntas – uma noção detalhada de como essas sensações físicas mudam de um momento para outro. Qual a sua natureza? São sensações de "contração" ou "tensão"? O que acontece com elas quando você leva a respiração para essa região e se permite estar aberto? Existe qualquer expectativa, luta ou frustração em torno dessa prática? Quais?

Por meio da meditação, seja como o explorador: querendo mapear um local desconhecido, interessado na configuração do terreno, com seus penhascos e vales peculiares, seus locais de aridez e de fertilidade, o terreno liso e as rochas denteadas. O explorador mapeia o território o mais precisamente possível, pois ser negligente seria desonrar sua descoberta. Da mesma forma, ao abordar as últimas semanas do programa, sua missão é permanecer curioso e interessado no que descobrir em sua mente e em seu corpo, mantendo a atenção plena, para que não deixe de ver a beleza profunda que reside na sua vida.

Durante a Meditação de Explorar as Dificuldades, tome cuidado com a tentação de "resolver" ou "solucionar" as dificuldades que lhe vierem à mente. A aceitação está associada a mudanças positivas, de modo que é natural usá-la para resolver os problemas como parte do modo Atuante. Lembra-se do experimento do labirinto (ver pp. 96-97)? Ele mostrou que variações sutis em estados mentais levam a resultados completamente diferentes. O mesmo ocorre com a meditação desta semana. Se você a aborda com o desejo de solucionar um problema específico, poderá apenas ativar os caminhos do piloto automático da mente. É provável que nem se dê conta de que eles estão entrando em ação, mas estão lá, atuando abaixo do nível da consciência. No final, você pode percebê-los por causa da tristeza ou do desapontamento porque "nada parece ter mudado". Claro que costuma ser difícil - se não impossível - eliminar tal desejo por completo, mas não se esqueça de que você está cultivando compaixão por si próprio. Você não "falhará". Cada vez que perceber que está se julgando, essa percepção já é um indicador de que você retornou a uma consciência mais plena, fundamental para se tornar mais atento. Caso considere a Meditação de Explorar as Dificuldades complicada demais, sinta-se livre para abandoná-la por ora, simplesmente fazendo as outras meditações a cada dia. Você sempre pode retornar a ela no futuro se quiser explorá-la mais.

ÀS VEZES NADA PARECE ACONTECER...

A Meditação de Explorar as Dificuldades costuma pegar as pessoas de surpresa. Uma dessas situações é quando nada parece acontecer. Harry constatou que, quando trazia à mente uma situação difícil do trabalho, não sentia absolutamente nada: "Eu me perguntava se estava fazendo aquilo certo", disse ele. "Aí, de repente, senti uma contração no tórax. Não foi dolorosa, mas foi bem definida. Fui pego de surpresa. Nunca prestei atenção ao que meu corpo faz quando estou preocupado. Não tentei expulsar a sensação. Fiquei intrigado com ela, talvez porque levei um tempo até sentir algo. Como ela aumentava e diminuía, decidi permanecer com ela para ver o que fazia. No final, desapareceu, e quando retornei aos pensamentos, a preocupação que a desencadeara fora embora."

Sonya teve uma experiência semelhante, embora tenha sentido algo logo no início da prática: "Eu sabia que deveria pensar em uma coisa que uma pessoa disse ao meu marido. Imediatamente senti uma dor no lado inferior do abdômen, portanto me concentrei nela e fiz o que devia, imaginando que a respiração estava entrando lá. Algumas das sensações permaneceram iguais e outras começaram a ir e vir. Depois, sem que eu evocasse, algo bem diferente me veio à mente – algo ligado à escola do meu filho – e as sensações físicas mudaram logo para uma tensão na parte superior do tórax e na garganta. Quando mantive isso na consciência, disse 'acalmando, abrindo-me' ao expirar. Pela primeira vez, captei a ideia de não tentar fazer nada – eu estava apenas explorando as sensações, não querendo fazer com que fossem embora."

Assim como Harry, quando Sonya retornou aos pensamentos descobriu que as situações que a vinham incomodando já não tinham a importância de antes. O que acontecera com elas?

Trazer a aceitação atenta as nossas dificuldades funciona por dois motivos interligados. Primeiro, rompe o elo inicial na cadeia que leva a uma espiral descendente negativa. Ao aceitar pensamentos, sentimentos, emoções e sensações corporais negativas – ao simplesmente reconhecer sua existência –, impedimos que os caminhos da aversão automática entrem em ação. Se não nos envolvemos com a espiral descendente, reduzimos seu impulso. Se fizermos isso durante as turbulências importantes iniciais, como fizeram Harry e Sonya, ela não ganha força suficiente para se perpetuar. Apenas vai por água abaixo.

Lembra-se de que comentamos sobre o experimento de Richard Davidson e Jon Kabat-Zinn, usando sensores no couro cabeludo para medir a atividade elétrica das partes frontais esquerda e direita do cérebro (ver pp. 46-48)? Eles descobriram que, após o treinamento em atenção plena, os trabalhadores de biotecnologia conseguiam manter um modo mental exploratório, orientado para a abordagem, mesmo quando experimentavam estados de espírito tristes. Nós também constatamos, em uma pesquisa publicada em 2007, que mesmo pessoas com um histórico de depressão e tendências suicidas foram capazes de mudar seu estado mental depois de participarem de um curso de atenção plena.[4] Harry e Sonya estavam experimentando a mesma coisa: a libertação que se segue quando abordamos situações difíceis sem acionar os sistemas de "aversão" poderosos do corpo.

Como já vimos, quando uma dificuldade vem à mente, a reação habitual do cérebro é tratá-la como um inimigo real, bloqueando seus sistemas criativos de "abordagem". Em alguns casos, quando você está lembrando o passado ou antevendo o futuro, a dificuldade se desenrola em nossa cabeça e não de verdade, a desativação, portanto, é desnecessária. De fato, ela acaba bloqueando a criatividade: ou nos sentimos aprisionados e o corpo torna-se submisso, ou o corpo aumenta a marcha, preparando-se para lutar ou fugir. Lembra-se do estudo da tomografia do cérebro que mencionamos no Capítulo Dois (ver p. 31)? Descobriu que nas pessoas com baixo nível de atenção – aquelas que correm de uma coisa à outra, acham difícil permanecer no presente e ficam tão obcecadas por seus objetivos que perdem o contato com o mundo exterior – a amígdala (no núcleo do sistema de luta ou fuga) é cronicamente hiperativa.[5] Você pode achar que sair correndo pela vida vai ajudá-lo a realizar mais coisas, no entanto, isso apenas ativa o sistema de aversão do cérebro e destrói a criatividade que vem buscando.

O segundo motivo pelo qual é importante trazer a aceitação às nossas dificuldades é porque permite que você se conscientize da *precisão* de seus pensamentos. Pegue como exemplo este pensamento: *"Não consigo enfrentar isso. Vou surtar!"* Se você observar sua reação e sentir os ombros rígidos e estômago contraído, verá que se trata de um *medo* e não de um *fato*. Você enfrentou a situação. Não surtou. Foi um medo poderoso e convincente, mas nunca foi um fato. Comparar os pensamentos com a realidade é um antídoto poderoso à negatividade em todas as suas formas.

ESPAÇOS DE RESPIRAÇÃO: APLICANDO SEU APRENDIZADO À VIDA DIÁRIA

Nas últimas duas semanas, você praticou o Espaço de Respiração duas vezes por dia e sempre que sentiu necessidade. Agora sugerimos que, quando se sentir perturbado, você use essa meditação como seu porto seguro.

Após completar a prática do Espaço de Respiração, quatro opções se abrem para você. Como dissemos na prática da semana passada, a primeira opção é simplesmente continuar como antes, só que com mais consciência. Esta semana sugerimos que, após um Espaço de Respiração, você "mergulhe" no corpo para explorar quaisquer sensações físicas que surjam quando dificuldades aparecem na mente. O Espaço de Respiração desta semana é bem parecido com aquele que você usou nas semanas anteriores, mas foi refinado para ajudá-lo a explorar dificuldades com mais compaixão. É nesta semana, talvez mais do que em qualquer outra, que o Espaço de Respiração atua como uma ponte entre as sessões de meditação mais longas e formais e a vida diária. Você deve realizar os três passos da meditação normalmente, mas incorporando as orientações extras detalhadas adiante. Sua consciência deve seguir a forma habitual da ampulheta. Além disso, você deverá prestar atenção especial às instruções do passo 3, pois elas ajudarão a explorar as dificuldades com maior ternura e compaixão.

Passo 1: Consciência

Você já praticou a observação: trazer o foco da consciência para sua experiência interna e observar o que está acontecendo em seus pensamentos, sentimentos e sensações corporais. Agora talvez você queira experimentar *descrever*, *reconhecer* e *identificar* essas experiências, colocando-as em palavras. Por exemplo, você poderia dizer em sua mente: *"Consigo sentir a raiva aumentando"* ou *"Pensamentos autocríticos estão presentes"*.

Passo 2: Redirecionar a atenção

Você já praticou o redirecionamento suave de sua atenção plena para a respiração, seguindo-a em seu caminho para dentro e para fora. Esta semana você pode tentar dizer no fundo de sua mente: "*Inspirando... expirando.*"

Você pode também contar cada inspiração e cada expiração. Por exemplo, você pode dizer a si mesmo na primeira inspiração "inspirando – um", e ao exalar pode dizer a si mesmo "expirando – um". Na próxima inspiração você pode dizer "inspirando – dois", e assim por diante, até chegar a cinco, antes de começar novamente.

Passo 3: Expandir a atenção

Você já praticou permitir que sua atenção se expanda para o corpo todo. Esta semana, em vez de permanecer em atenção plena por um tempo, deixe que sua consciência inclua qualquer sensação de desconforto, tensão ou resistência, como fez na Meditação de Explorar as Dificuldades. Caso note quaisquer sensações, volte sua atenção para elas, respirando "para dentro" delas. Depois respire "para fora" delas, relaxando e se abrindo no processo. Ao mesmo tempo, diga a si mesmo: "*Tudo bem eu me sentir assim. Seja o que for, posso estar aberto a isso.*" Se o desconforto se dissolver, volte a enfocar a amplitude do corpo.

Caso se sinta capaz, permaneça neste passo mais do que o tempo costumeiro, mantendo a consciência de suas sensações corporais e seu relacionamento com elas, respirando com elas, aceitando-as, deixando-as existir, permitindo que sejam como são. Veja isso como um passo extra, ou talvez como uma ponte de volta à vida diária. Assim, em vez de imediatamente retornar a sua vida onde a deixou, explore as mensagens que seu corpo envia dentro do espaço da consciência.

Na medida do possível, traga essa consciência expandida aos próximos momentos de seu dia.

LIBERADOR DE HÁBITOS: PLANTE ALGUMAS SEMENTES (OU CUIDE DE UMA PLANTA)

Cultivar uma planta ou plantar algumas sementes estão entre as coisas simples que podem ter um efeito surpreendente. Pode até salvar sua vida. No final da década de 1970, a psicóloga Ellen Langer e sua equipe de Harvard realizaram uma série de experimentos, pedindo a um grupo de idosos num asilo que cuidassem de uma planta em seus quartos.[6] Eles foram informados de que seriam responsáveis por regá-la e por garantir que recebesse nutrientes e luz suficientes. Um segundo grupo de idosos também recebeu uma planta em seus quartos, mas foram orientados a "não se preocuparem", pois as enfermeiras cuidariam dela. Os pesquisadores mediram os níveis de felicidade nos dois grupos e constataram que aqueles que foram incumbidos de cuidar da planta estavam visivelmente mais felizes e saudáveis. Eles viveram mais tempo também. O simples ato de cuidar de outro ser vivo havia melhorado nitidamente a vida daqueles idosos. Portanto, esta semana, por que não plantar algumas sementes ou comprar um vaso de plantas? Se decidir plantar, por que não escolher flores das quais as abelhas possam se alimentar? Existe algo de fascinante nas abelhas em atividade. Ou então por que não plantar sementes de algo que você possa comer, como tomate, alface ou cebolinha? Quando plantar as sementes, sinta sua textura e a do solo. Existe alguma tensão no seu corpo, talvez localizada no pescoço ou nos ombros? Ao cobrir as sementes com terra, observe como esta cai por entre seus dedos. Agora faça os mesmos movimentos com metade da velocidade. A sensação é diferente? Como é o cheiro da terra? Ao regar as sementes ou as plantas, preste atenção em como as gotas d'água refletem a luz. Por que não gastar um pouco de tempo descobrindo mais sobre as plantas que está cultivando?

O QUE ACONTECEU COM ELANA?

No prefácio da segunda edição do livro *Here for Now*, Elana Rosenbaum escreveu:[7] "Às vezes as pessoas me perguntam: 'Você está curada?' 'Curada de quê?', pergunto a elas."

Ela conclui: "Estou viva. Estou bem. Continuo me desafiando a estar plenamente aqui e agora. E você?"

Práticas para a semana cinco

Estas práticas devem ser realizadas em seis dos próximos sete dias. Esta semana, três meditações serão praticadas em sequência e condensadas, uma vez por dia, na seguinte ordem:

- Meditação da Respiração e do Corpo de oito minutos (ver pp. 105-106, faixa 4).
- Meditação de Sons e Pensamentos de oito minutos (ver pp. 118-120, faixa 5).
- Meditação de Explorar as Dificuldades de dez minutos (ver a seguir, faixa 6).
- Meditação do Espaço de Respiração (ver p. 109, faixa 8). Pratique como antes e acrescente as instruções citadas no final deste capítulo.
- Liberador de Hábitos – como detalhado ao final do capítulo.

CAPÍTULO DEZ

Semana seis: prisioneiro do passado ou vivendo no presente?

Kate sentou-se em silêncio. O psicólogo sentou-se ao lado dela, permitindo que o silêncio perdurasse por alguns momentos, enquanto o ruído do corredor agitado do hospital continuava. Ela havia sido internada 24 horas antes, após uma overdose de antidepressivos. Fisicamente, estava bem, o efeito das pílulas tinha desaparecido – mas ainda se sentia exausta. Também estava envergonhada, irritada consigo mesma, desejando não ter feito aquilo. Sentia-se muito triste e sozinha.

Quando a enfermeira perguntou por que tomara os comprimidos, Kate disse que realmente não sabia: estava desesperada, achou que tinha de fazer algo e não conseguiu pensar em outra coisa. Não imaginou que fosse morrer – na verdade, nem *queria* morrer. Foi mais uma vontade de fugir por um tempo, como alguém que cobre a cabeça com o cobertor para fazer o mundo sumir. A vida tornara-se complicada demais. Muitas pessoas dependiam dela, e ela achava que havia decepcionado todas. "Talvez, se eu desaparecer, a vida de todo mundo fique melhor", pensou ela. Ao conversar com o psicólogo, mais detalhes de sua história vieram à tona. A vida de Kate havia sido razoavelmente normal até dezoito meses antes, quando sofreu um acidente de carro. Ela se sentia culpada, embora ninguém concordasse. Ninguém se feriu no acidente, mas as cicatrizes de Kate estavam em sua mente, não em seu corpo. Ela estava levando sua sobrinha de 6 anos, Amy (filha de sua irmã), ao shopping. A menina não sofreu nada e parecia lidar bem com o assunto. Mas Kate não conseguia se perdoar. Revivia o acidente repetidas vezes. E se Amy não estivesse com o cinto de segurança? (Ela estava.) E se o outro carro estivesse mais rápido? (Não estava.) E se Amy tivesse se ferido ou morrido? (Nada disso ocorreu.)

A mente de Kate vinha criando cenários imaginários que se tornaram cruéis. Por mais que tentasse, não conseguia expulsar os pensamentos. Via-se cada vez mais concentrada neles do que na vida real. Ela desenvolveu um transtorno de estresse pós-traumático[1] e estava deprimida: cansada o tempo todo, melancólica, sem interesse pelas coisas de que costumava gostar. No final, todos aqueles sentimentos haviam se acumulado num estado mental que só podia ser descrito como sofrimento mental prolongado: Kate alternava entre o vazio e o desespero, o tumulto e a confusão. Agora pensava menos no acontecimento e mais na dor. Seus pensamentos giravam em torno de temas que qualquer um pode experimentar nessa situação. Veja a seguir:[2]

Sofrimento mental: os pensamentos que não param de girar e girar...

- Não há nada que eu possa fazer.
- Estou desmoronando.
- Não tenho futuro.
- Estou completamente derrotado.
- Perdi algo que jamais encontrarei de novo.
- Já não sou mais a mesma pessoa.
- Sou inútil.
- Sou um fardo para os outros.
- Algo em minha vida se quebrou para sempre.
- Não consigo achar sentido na vida.
- Estou completamente impotente.
- Essa dor jamais irá embora.

A história de Kate ilustra bem alguns dos estados mentais que podem nos aprisionar. De muitas formas sutis, achamos que não podemos nos perdoar por coisas que fizemos ou deixamos de fazer. Carregamos conosco o peso de fracassos passados, negócios inacabados, dificuldades de relacionamento, brigas não resolvidas, ambições não satisfeitas, etc. Pode nem ser um evento tão traumático como o de Kate, mas a experiência dela revela aspectos comuns a todos nós: a dificuldade de abandonar o passado, a mania de remoer coisas que aconteceram ou o hábito da preocupação. Quando a mente entra nesses padrões e não consegue abandoná-los, os pensamentos se descontrolam. Por mais que você tente, não consegue desligar a mente das próprias fantasias – esse estado tem sido chamado de "engajamento doloroso".[3] Na verdade, em períodos assim, pode parecer que, se você se permitir voltar a ser feliz, estará traindo uma pessoa ou um princípio. Como Kate poderia se sentir feliz depois do que havia feito? Ela não merecia.

Não é difícil perceber por que qualquer um de nós poderia se sentir culpado a maior parte do tempo. A cultura ocidental se desenvolveu com base na culpa e na vergonha. Podemos nos sentir culpados por não conseguir enfrentar determinadas situações, por não atingir nosso potencial, por não ser o melhor pai/mãe/esposa/marido do mundo. Podemos sentir vergonha por não corresponder às expectativas dos outros, por sentir raiva, amargura, ciúme, tristeza e desespero. Culpados por curtir a vida. Culpados por estar felizes...

E a base para grande parte da culpa e da vergonha é o medo – o tirano interno que todos carregamos na cabeça: medo de falhar, de não sermos bons o suficiente. Medo de sermos derrotados se baixarmos a guarda, de fazer besteira se relaxarmos. E se tememos a crítica dos outros, por que não evitamos o risco e nos atacamos primeiro?[4] Um medo leva a outro, que alimenta mais outro, num ciclo debilitante e incessante que esgota nossa energia.

Mas existe outra coisa na experiência de Kate que pode facilmente passar despercebida: a *irreversibilidade* dos pensamentos. Após o acidente, ela se sentiu diferente de algum modo imutável. E, lutando em meio ao trauma e à depressão, sentiu que sua vida estava irreversivelmente prejudicada, que havia perdido algo que jamais recuperaria. Qualquer um de nós pode cair nessa armadilha mental. Podemos acreditar secretamente que, devido a algo que nos aconteceu, nada mais será o mesmo.

Mas por que isso ocorre? A resposta está na forma como lembramos os eventos do passado. Pesquisas científicas fizeram grandes progressos na compreensão do funcionamento da memória e das maneiras como ela pode falhar. Em experimentos conduzidos durante vários anos, voluntários foram orientados a recordar uma ocasião do passado em que se sentiram felizes. Não precisava ser um acontecimento importante, mas que tivesse durado menos de um dia. A maioria das pessoas acha fácil lembrar algo. Tente você mesmo. Pense numa boa notícia que recebeu, num passeio especialmente agradável, no seu primeiro beijo ou numa viagem divertida. Observe que a memória agiu sem grandes dificuldades, recordando um determinado evento – algo que ocorreu num dia, hora e lugar específicos. Veja outros exemplos no quadro a seguir.

Lembranças de eventos reais

Veja as palavras abaixo. Pense num evento real que aconteceu com você e que lhe venha à mente ao ver cada uma destas palavras. Mantenha na lembrança ou anote o que ocorreu. (Não importa se o evento real aconteceu há muito tempo ou recentemente, mas deve ser algo que durou menos de um dia.)

Por exemplo, ao ler a palavra "diversão", você pode pensar "Eu me diverti quando fui à festa da Jane", mas não serve "Sempre me divirto em festas", pois isso não menciona um evento específico. Esforce-se por escrever algo para cada palavra.

Pense numa ocasião em que você se sentiu:

- Feliz
- Entediado
- Aliviado
- Desesperado

- Empolgado
- Fracassado
- Solitário
- Triste
- Sortudo
- Relaxado

Mas nem sempre é fácil ser específico. Pesquisas descobriram que, se experimentamos eventos traumáticos, se estamos deprimidos, exaustos ou obsessivamente preocupados com nossos sentimentos, a memória adquire um padrão diferente. Em vez de recordar um evento específico, o processo de lembrança cessa depois de completar apenas o primeiro passo: lembrar uma síntese dos eventos. Com frequência, o resultado é o que os psicólogos denominam "memória genérica".

Assim, quando perguntaram a Kate se conseguia pensar em algo – qualquer evento específico do passado – que a tivesse deixado feliz, ela respondeu: "Eu e minha colega de quarto costumávamos sair nos fins de semana." Sua memória não conseguia produzir um episódio específico. E quando ela precisou mencionar um evento que a deixara triste, ela disse: "Brigas com minha mãe." Quando reforçaram que deveria ser uma situação *específica*, ela simplesmente disse: "Nós sempre discutíamos." A resposta de Kate não é atípica. Pesquisas conduzidas por nossa equipe em Oxford e em outros laboratórios do mundo descobriram que esse padrão é muito comum para certas pessoas, em especial aquelas que estão sempre cansadas ou agitadas demais para pensar de maneira objetiva, aquelas que têm tendência à depressão e aquelas com histórico de vida traumático. De início, o possível impacto dessa dificuldade de memória não estava claro. Depois descobriu-se que quanto mais as pessoas tinham lembranças genéricas, maior era sua dificuldade de abandonar o passado e mais eram afetadas por problemas no presente, o que tornava difícil reconstruir sua vida após um trauma.[5] Em 2007, o professor Richard Bryant descobriu que bombeiros que apresentavam esse padrão de memória ficavam mais traumatizados com seu trabalho do que aqueles com um padrão de memória normal.[6] Anke Ehlers descobriu que pessoas com memória genérica têm maior tendência a sofrer transtorno do estresse pós-traumático após uma agressão. Ao investigar mais fundo, constatou-se que pessoas assim também costumavam remoer pensamentos e acreditar que a agressão ou o trauma havia mudado as coisas de forma permanente e irreversível.[7]

A dança das ideias

Imagine que você está num bar lotado e vê um amigo conversando com um de seus colegas de trabalho. Você sorri e acena para eles. Eles estão olhando em sua direção, mas não parecem percebê-lo.

Quais pensamentos passam por sua mente? Como você se sente?

Você pode achar que essa cena é clara, mas na verdade é altamente ambígua. Mostre-a a meia dúzia de pessoas e você obterá uma variedade de respostas que dependem mais do estado mental da pessoa indagada do que de qualquer "realidade" concreta. Se algo aconteceu e você está feliz, provavelmente pensará que seus amigos não o viram cumprimentando-os. A cena logo será esquecida. Mas se você estiver infeliz ou angustiado por qualquer motivo, a dança das ideias terá uma coreografia diferente e a cena assumirá um sentido inteiramente novo: você pode concluir que seus amigos estão tentando evitá-lo ou que eles não querem mais ser seus amigos. Você pode pensar coisas como: *"Eles estão me evitando. É sempre a mesma coisa. Talvez eles nunca tenham gostado de mim de verdade. Por que tem de ser assim?"* Essa "autoconversa" pode rapidamente mudar de uma tristeza passageira para um período longo de infelicidade que fará você questionar muitas de suas crenças. Por quê?

A nossa mente está sempre tentando desesperadamente entender o mundo – e o faz a partir de uma bagagem acumulada durante anos, aliada ao estado de espírito do momento. A mente está a todo tempo coletando fragmentos de informações e tentando juntá-las em um quadro significativo. Faz isso com frequência, retrocedendo ao passado e vendo se o presente está começando a se desenrolar da mesma forma. Depois leva esses modelos para o futuro e vê se um padrão ou tema novo emerge. Manipular tais padrões é uma das características definidoras do ser humano. É como damos sentido ao mundo.

Quando a dança congela

É incrível contemplar essa dança das ideias, mas às vezes ela "congela". A memória genérica tende a congelar o passado como um subproduto de sua tendência a sintetizar – então a síntese é considerada uma verdade eterna. Assim, uma vez que tenha interpretado a "conduta" de seus amigos no bar como "rejeição", dificilmente retorna aos detalhes reais da situação e pensa na possibilidade de haver outras interpretações. Você supergeneraliza, especialmente se estiver cansado ou preocupado. E quando a dança das ideias congela, tudo o que você consegue se lembrar depois é mais um caso de pessoas o rejeitando. Seu mundo perde a cor, tornando-se preto ou branco – vencer ou perder.

O que entendemos com base nessa pesquisa é algo de suma importância: a sensação de que as "coisas são irreversíveis", ou de que "fui prejudicado para sempre", é um aspecto nocivo de um padrão mental. Mas é um padrão mental em que podemos facilmente ficar presos, porque o próprio pensamento parece dizer: *"Sou permanente; não há nada que você possa fazer contra mim; estou com você para sempre."* Essa sensação de permanência vem de uma tendência a ficar *preso no passado,* recordando eventos de uma forma genérica. E esse excesso de generalidade é alimentado por uma tendência a suprimir lembranças de eventos desagradáveis ou a remoer tais lembranças. E uma vez que nossas lembranças se tornam genéricas, não retornamos aos fatos específicos do passado, mas ficamos aprisionados dentro da culpa pelo que ocorreu e da descrença na possibilidade de mudança. A sensação *parece* permanente, mas a boa notícia é que é temporária. Apesar da propaganda que encena, ela *pode* mudar. Nossas pesquisas descobriram que oito semanas de treinamento em atenção plena tornam a memória mais específica e menos genérica.[8] A meditação da atenção plena liberta-nos da armadilha da generalidade excessiva.

Se você acompanhou as meditações até este ponto, pode ter experimentado essa libertação. A aceitação das "culpas" e "temores" do passado pode ter começado a proporcionar algum alívio. Talvez você esteja recordando com mais facilidade acontecimentos do passado que antes não conseguia trazer à mente sem sofrimento. Você ainda vai sentir a dor, mas irá perceber que esses eventos pertencem ao passado e podem ser abandonados, deixados lá atrás, onde é seu lugar.

Isso acontece porque você tem explorado uma alternativa ao modo de "evitação" automático da mente que induz uma supergeneralidade, deixando-o preso ao passado e colocando uma bruma no futuro. A Meditação da Passa, a respiração, a Exploração do Corpo, o Movimento Atento, o aprendizado de se relacionar com pensamentos como se relaciona com sons, a exploração das dificuldades percorrendo o corpo – cada uma dessas técnicas contribuiu para que você visse que existe uma possibilidade. Existe uma chance de residir, momento após momento, num estado mental que o embala em uma sabedoria acrítica e compassiva.

Ao ministrar os cursos de atenção plena, vemos muitas pessoas descobrindo a liberdade que surge quando percebem que algo que acreditavam ser permanente era, na verdade, mutável. Mas pode ser que todas as meditações que você praticou até agora tenham deixado um canto da mente intocado. De algum modo, muitas pessoas são capazes de meditar por semanas, meses ou anos, sem nunca aprender a tratar a si mesmo com gentileza. Elas pensam na meditação como mais uma coisa *por fazer*.

Tratando a si mesmo com gentileza

Quão rígido e crítico você é consigo mesmo? Tratar-se com gentileza e sem críticas são atitudes fundamentais para encontrar a paz num mundo frenético. Faça a si mesmo estas perguntas:[9]

- Eu me critico por ter emoções irracionais ou impróprias?
- Eu digo a mim mesmo que não deveria me sentir desse jeito?
- Eu acredito que alguns de meus pensamentos são errados e que eu não deveria pensar assim?
- Eu julgo meus pensamentos?
- Eu digo a mim mesmo que não deveria estar pensando desse jeito?
- Eu penso que algumas de minhas emoções são ruins e que não deveria senti-las?
- Quando tenho pensamentos negativos, eu me julgo com base nesses pensamentos?
- Eu me repreendo quando tenho ideias diferentes?

Se você disse sim a uma ou duas dessas perguntas, pode estar sendo rígido demais consigo mesmo. É possível começar a se tratar com mais compaixão? O segredo deste questionário é entender que você está sendo muito rígido sem ver isso como uma crítica. Veja suas respostas como uma ajuda, e não como um sinal de sucesso ou fracasso.

Portanto, você precisa ir um passo adiante se quiser não apenas obter a paz profunda que advém de cultivar a atenção plena, mas também ajudar a sustentá-la à luz das tensões que a vida lança contra você. Precisa se relacionar com o mundo com gentileza e compaixão, e só consegue fazê-lo entendendo quem você *é*, aceitando-se com profundo respeito, reverência e, sim, amor. A última meditação que vamos convidá-lo a compartilhar é a Meditação da Amizade. Nesta meditação você reconhece que, por mais difícil que pareça ser compassivo com os outros, pode ser ainda mais difícil ser gentil *consigo mesmo.*

A semana seis ajuda a trazer a gentileza de volta a sua vida – não apenas para os outros, mas para você também.

Meditação da Amizade[10]

Faixa 7

Leve alguns minutos para se acomodar num lugar confortável onde possa ficar sozinho, relaxado e alerta.

Ache uma postura que corporifique uma sensação de dignidade e despertar. Se estiver sentado, deixe a coluna ereta, os ombros relaxados, o peito aberto e a cabeça equilibrada.

Concentre-se na respiração, e depois expanda a atenção para todo o corpo por alguns minutos até se sentir acomodado.

Quando a mente divagar, reconheça aonde ela foi, lembrando que você tem uma opção agora: pode conduzi-la de volta para aquilo em que pretendia se concentrar, ou então permitir que sua atenção desça até o corpo para explorar onde você está experimentando o problema ou a preocupação. Sinta-se livre para usar qualquer uma das meditações anteriores como parte de sua preparação para esta.

Quando estiver pronto, permita que algumas destas frases – ou todas – venham a sua mente, mudando as palavras se quiser, de modo que elas se conectem com você e se tornem seu portal particular para uma sensação profunda de amizade consigo mesmo:

"Que eu me sinta seguro e livre do sofrimento."
"Que eu me sinta tão saudável e feliz quanto possível."
"Que eu viva com tranquilidade."

Sem pressa, imagine que cada frase seja um seixo lançado num poço profundo. Você está lançando um após outro, depois procurando ouvir qualquer reação em pensamentos, sentimentos, sensações físicas ou impulso para agir. Não há necessidade de julgar o que surgir. Caso ache difícil evocar uma sensação de amizade para consigo, traga à mente uma pessoa (ou um bicho de estimação) que, no passado ou no presente, amou você incondicionalmente. Uma vez que tenha uma clara ideia do amor dela por você, ofereça esse amor a si mesmo: *"Que eu me sinta seguro e livre do sofrimento. Que eu me sinta saudável e feliz. Que eu viva com tranquilidade."*

Permaneça nessa etapa o tempo que desejar antes de passar para a seguinte.

Então pense em um ente querido e deseje-lhe esse mesmo bem: *"Que ele se sinta seguro e livre do sofrimento. Que ele se sinta saudável e feliz. Que ele viva com tranquilidade."*

De novo, observe o que surge na mente e no corpo ao manter essa pessoa na mente e no coração, desejando-lhe o bem. Deixe que as reações venham. Não se apresse. Faça pausas entre as frases – ouvindo atentamente. Respirando.

Quando estiver pronto para prosseguir, escolha um estranho. Pode ser alguém que você vê regularmente, talvez na rua, no ônibus ou no metrô – alguém que você reconheça, mas cujo nome não saiba. Alguém sobre quem se sinta neutro. Lembre-se de que, embora não conheça essa pessoa, ela também tem uma vida cheia de esperanças e temores. Portanto, mantendo-a no coração e na mente, repita as frases e deseje-lhe o bem.

Agora, se quiser aprofundar esta meditação ainda mais, traga à mente alguém que considere difícil (do passado ou do presente). Permita que essa pessoa esteja em seu coração e sua mente, reconhecendo que ela também pode querer ser feliz e estar livre do sofrimento. Repita as frases: *"Que ele(a) se sinta seguro(a) e livre do sofrimento. Que ele(a) se sinta saudável e feliz. Que ele(a) viva com tranquilidade."* Dando uma pausa, ouvindo, observando as sensações no corpo, vendo se é possível explorar esses sentimentos sem censurá-los ou julgar-se.

Se a qualquer momento você se sentir oprimido e dominado por sentimentos ou pensamentos intensos, retorne à respiração no corpo para se fixar de volta no momento presente, tratando-se com gentileza.

Finalmente, estenda essa ternura a todos os seres, incluindo seus entes queridos, pessoas estranhas e aquelas que você acha difíceis. A intenção aqui é estender o amor e a amizade a todos os seres vivos no planeta – incluindo você! *"Que todos os seres possam se sentir seguros e livres do sofrimento. Que se sintam saudáveis e felizes. Que todos nós vivamos com tranquilidade."*

Ao final desta prática, fique sentado com a atenção na respiração e no corpo, permanecendo consciente do momento presente. Qualquer que seja sua experiência, reconheça sua coragem de dedicar tempo a se nutrir dessa maneira.

PODE SER DIFÍCIL...

É difícil trazer a ternura e a amizade a si mesmo, portanto explorar esta prática exige comprometimento. Mas ela pode ser realizada em qualquer lugar, a qualquer momento, até durante a prática diária formal. Aos poucos você perceberá que é impossível ser amável com os outros enquanto você se ataca por não ser bom o suficiente.

Foi isso que Carol constatou ao fazer um de nossos cursos:

"Comecei me acalmando. Após um momento, passei a repetir as frases sugeridas: *Que eu me sinta segura e livre do sofrimento...* Depois percebi algo surgindo, uma sensação de ser esmagada pelas atividades de minha vida. Retornei à meditação, mas aquilo continuava vindo. Permiti-me sentir, vendo se conseguia trazer amizade a minha sensação de atividade."

O que Carol estava sentindo? "Embora *soubesse* que eu era muito ocupada, nunca pensei que isso estivesse realmente me prejudicando. Aquilo me lembrou uma frase que eu havia ouvido: *Que eu possa estar livre do mal interno e externo*. Então entendi tudo. Eu sempre pensara que era o *mundo lá fora* que me deixava atarefada: meu emprego, minha família etc. Mas o que eu estava ouvindo era: *'Ah, sim, mas eu também tenho culpa, estou me prejudicando.'* Acho que *preciso* estar ocupada; é um velho padrão. E eis que aquela sensação estava vindo à tona justamente na prática de *desejar-me o bem*. Pensei: *'Humm, o que isso quer dizer?'*"

Carol sabia que estava correndo para cumprir com todas as suas obrigações, mas em meio a sua meditação da ternura, teve uma sensação não apenas do sofrimento que aquilo provocava, mas também de como ela própria contribuía para esse sofrimento. O interessante foi que não houve recriminação, apenas um reconhecimento tranquilo de como as coisas eram. Mais tarde, Carol contou que, como parte de sua prática contínua, havia escrito cinco perguntas para refletir:

- Como posso me nutrir?
- Como posso reduzir o ritmo?
- Como posso recuar?
- Como posso fazer escolhas melhores?
- Como posso ser gentil comigo mesma?

Aos poucos ela aprendeu que a amizade é uma voz tranquila que vem de dentro. Com frequência, essa voz é abafada pelas vozes do medo e da culpa. O medo do fracasso havia, para ela, tentado "protegê-la" do amor. Dizia que ela sairia perdendo se fosse compassiva. Alertava que, se não fosse vigilante, seria enganada, traída e usada pelos outros. Tal medo a persuadira a ficar sempre zangada com o mundo. Na época em que participou do curso, Carol sentia-se envergonhada de todas as reações poderosas que o medo havia desencavado. Foi na Meditação da Amizade que ela se impressionou com o que vinha fazendo consigo mesma.

Além disso, Carol percebeu que vinha aumentando seu sofrimento, não apenas ao dizer "Preciso estar ocupada", como também ao repetir para si mesma: "As coisas costumavam ser diferentes. Nada voltará a ser como antes." Ela viu como seus pensamentos criaram um abismo entre ela e o mundo. Haviam feito com que ela se afastasse da família e dos amigos. Sua vida parecia ser baseada no ceticismo e na amargura. Ela se tornara solitária, isolada de todos os que não concordavam com seus padrões. Carol vinha repetindo essas coisas quando deitava na cama à noite ou passeava com o cachorro. Então, algo aconteceu: no momento em que estava deitada na cama, *estava* realmente na cama, não no trabalho.

Jesse concordou: "Sim, você se repreende por ser raivoso, egoísta e cético. Acima disso tudo, outra camada de culpa é imposta pela sociedade. É difusa e extremamente poderosa."

Jesse tinha a sensação de ser "maltratada" por todos desde o tempo da escola. "Sempre me disseram que eu não prestava e faziam com que eu me esforçasse mais. O mundo ensina a nos sentirmos culpados por não nos esforçarmos o suficiente."

Carol reconheceu essas pressões também. Ela disse: "Mais tarde, se tivermos filhos, seremos culpadas por não cuidar deles *e* por ter uma carreira."

Ao praticar a Meditação da Amizade, Carol e Jesse reconheceram que ninguém jamais lhes havia ensinado a se tratar de forma gentil. Praticamente toda a sua vida era restringida por regras e regulamentos, a ponto de até a respiração parecer um ato subversivo.

O antídoto para todo aquele medo e culpa foi dar um passo atrás e ouvir a voz do coração. Elas estavam descobrindo o que inúmeras pessoas têm descoberto ao longo dos séculos: se quisermos achar a paz verdadeira, temos de ouvir a voz tranquila da compaixão e ignorar as vozes estridentes do medo, da culpa e da vergonha. A meditação pode nos ajudar nesse aspecto, mas temos de imbuí-la de gentileza, senão corremos o risco de encontrar um alívio temporário, mas não a paz verdadeira que reside além dos altos e baixos da vida diária. Acabamos abafando o ruído, mas permanecemos surdos a uma forma de viver melhor, mais saudável. Muitos estudos mostram que a gentileza transforma as coisas: os caminhos da "evitação" na mente são desativados e os da "aproximação" são ativados em seu lugar.

Essa mudança na atitude promove a abertura, a criatividade e a felicidade, ao mesmo tempo que dissolve temores, culpas, ansiedades e tensões que levam à exaustão e descontentamento crônico.

A experiência de Rebecca foi semelhante: "Estou estudando para ser terapeuta. Quando fiz a meditação da atenção plena, me lembrei de um cliente que precisou ser hospitalizado. Na época, me senti culpada, embora ninguém mais achasse que tinha sido culpa minha. A meditação trouxe à tona todos os velhos temores que eu costumava ter de que, se algo saísse errado, seria minha responsabilidade.

Enquanto estava sentada, me senti vulnerável, mas tive uma sensação de empatia e gentileza comigo mesma que nunca tivera antes. Acho que eu havia reagido à vulnerabilidade tentando ser forte. A meditação me fez ver que, se eu deixasse de ser suscetível à mágoa, não seria a terapeuta de que as pessoas que buscam ajuda precisam."

GENTILEZA NA PRÁTICA

A gentileza surge por meio da empatia – uma compreensão profunda e compartilhada pela aflição da outra pessoa. Pesquisas mostram que a parte do cérebro que é ativada quando sentimos empatia genuína é a mesma que é acionada pela meditação da atenção plena: a ínsula.[11] Falamos dela lá atrás, no Capítulo Três.

Embora muito se fale sobre sentir empatia pelos outros, é igualmente importante estar aberto para recebê-la também. Costumamos ter pouca empatia por nossos pensamentos e sentimentos, e com frequência tentamos afastá-los, descartando-os como se fossem fraquezas. Ou, quando "merecemos" uma gratificação, acabamos apelando para atitudes nocivas, como comer demais. Mas, no fundo, nossos pensamentos e sentimentos não querem ser gratificados (nem rejeitados): querem apenas ser ouvidos e entendidos. Querem apenas nossa empatia pelos sentimentos que lhes originam. Poderíamos tentar enxergar nossos pensamentos como um bebê chorando inconsolavelmente: depois que já fizemos tudo o que era possível, apenas o embalamos nos braços, com ternura e compaixão – simplesmente estando ali. Não precisamos fazer mais nada além de estar ali.

Algumas pessoas acham uma atitude egoísta pensar em si durante a meditação (em vez de colocar o foco da gentileza em outra pessoa), mas elas não compreendem a intenção da prática. Ao dedicar algum tempo cultivando a amizade consigo mesmo, você está dissolvendo as forças negativas do medo e da culpa dentro de si. Isso reduz a preocupação com a própria paisagem mental, o que, por sua vez, libera um manancial de felicidade, compaixão e criatividade que beneficia a todos. Você pode ver a gentileza como um lago cristalino alimentado por uma pequena fonte. Pode tentar preservar o tanque, dando a cada pessoa um pouquinho de água direto da fonte. Ou então você pode desbloquear a fonte que alimenta o tanque, assegurando que seja constantemente reabastecido e forneça amplo sustento a todos. A meditação desbloqueia a fonte.

A Meditação da Amizade pode se tornar parte da vida diária como qualquer outra prática que você aprendeu até agora. Veja se consegue, na medida do possível, preencher sua vida com empatia pelos outros. Isso pode não ser fácil. Muitas pessoas parecem egoístas, antipáticas e insensíveis, mas este pode ser apenas um reflexo da ocupação delas e da falta de percepção do impacto que têm sobre os outros. Se tratá-las com gentileza, logo perceberá que estão no mesmo barco que você: tropeçando pela vida tentando encontrar felicidade e sentido. Tente sentir a aflição delas.

Embora nos estágios iniciais a Meditação da Amizade soe difícil, ela começa a agir rapidamente. Pesquisas baseadas em tomografias cerebrais mostram que, poucos minutos após o início da meditação, as partes do cérebro que governam as qualidades de "abordagem" da gentileza e empatia começam a disparar.[12]

ESTENDER O ESPAÇO DE RESPIRAÇÃO AOS PENSAMENTOS NEGATIVOS

No Capítulo Oito dissemos que quatro opções se abriam para você após completar o Espaço de Respiração. A primeira é prosseguir com o que estava fazendo antes de começar a meditação, porém com maior consciência. A segunda opção é "mergulhar" no seu corpo para ajudá-lo a lidar melhor com dificuldades. Esta semana exploraremos uma terceira possibilidade: relacionar-se de maneira diferente com seus pensamentos. Já explicamos como seus pensamentos podem aprisioná-lo, entoando maus conselhos, muitas vezes com base em lembranças genéricas, fazendo com que você obtenha apenas uma síntese distorcida dos eventos. Agora, ao terminar o Espaço de Respiração, passe alguns momentos observando seus pensamentos e sentimentos. Veja se consegue se relacionar de outra forma com seus pensamentos.[13] Você poderia:

- Anotar seus pensamentos;
- Observar os pensamentos chegarem e irem embora;
- Ver seus pensamentos como *pensamentos*, não como realidade objetiva;
- Nomear seus padrões de pensamento, por exemplo, "pensamentos mórbidos", "pensamentos preocupados", "pensamentos ansiosos" ou simplesmente "pensando, pensando";
- Perguntar se você está exausto, chegando a conclusões precipitadas, generalizando, exagerando a importância da situação ou esperando a perfeição.

LIBERADOR DE HÁBITOS

Escolha um dos Liberadores de Hábitos a seguir e tente realizá-lo ao menos uma vez esta semana. Se preferir, faça os dois.

1. Recuperando sua vida[14]

Relembre uma época em que sua vida parecia menos frenética, antes de alguma tragédia ou quando o trabalho ainda não tomava todo o seu tempo. Recorde com o máximo de detalhes possível algumas das atividades que você costumava fazer. Podem ser coisas que você fazia sozinho (como ler sua revista favorita, ouvir um determinado disco, caminhar ou andar de bicicleta) ou com amigos ou a família (como brincar com jogos de tabuleiro e ir ao teatro).

Escolha uma dessas atividades e planeje realizá-la esta semana. Pode levar cinco minutos ou cinco horas, ser importante ou trivial, envolver outros ou não. O importante apenas é que seja algo que o coloque de volta em contato com uma parte da vida que você havia esquecido – que considerava perdida. Não espere até ter *vontade* de fazer a atividade. Faça com ou sem vontade e veja o que acontece. É hora de recuperar sua vida.

2. Faça um gesto amigável para outra pessoa

Por que não realizar um ato aleatório de gentileza? Não precisa ser algo grandioso. Você poderia ajudar um colega de trabalho a arrumar a mesa dele, ajudar um vizinho a carregar as compras ou fazer algo por seu parceiro que você sabe que ele detesta fazer sozinho. Se acabou de ler um bom livro ou um jornal, por que não deixá-lo num banco de ônibus?[15] Que tal se livrar de uns objetos de que não precisa mais e que estão se acumulando em casa? Em vez de jogá-los no lixo, doe.

Existem inúmeras outras formas de ajudar os outros. Pense em seus amigos, sua família e seus colegas de trabalho. Como pode tornar a vida deles um pouco melhor? Talvez uma colega esteja sobrecarregada com um serviço específico e você possa animá-la deixando um pequeno agrado em sua mesa pela manhã. Um buquê de flores é capaz de transformar seu dia. Não precisa fazer alarde sobre o presente – dê pelo prazer de dar, com calor humano e compreensão. Se um vizinho idoso mora sozinho, por que não dar seu número de telefone para o caso de uma emergência? Não há necessidade de contar a ninguém a respeito. Doe-se pelo prazer de doar, imbuído de cordialidade e empatia. Caso veja alguém precisando de ajuda hoje, por que não dar uma mão? De novo, não precisa esperar até estar motivado a fazê-lo – veja a ação como uma meditação em si, uma oportunidade de aprender e explorar suas reações e respostas. Veja como afeta seu corpo. Faça uma anotação mental de como você se sente.

A GENIALIDADE E SABEDORIA DE EINSTEIN

Este capítulo fala sobre cultivar a amizade e a gentileza em relação a si mesmo e aos outros. Mesmo ao ler estas linhas, talvez você observe certa resistência a essas ideias. Talvez perceba um ruído no fundo da mente dizendo que, se você parar de competir, ou se tornar mais compassivo e tolerante, perderá sua "vantagem" e se tornará suave demais, prejudicando-se.

Albert Einstein, junto a inúmeros cientistas e filósofos ao longo das eras, sempre enfatizou a importância da gentileza, da compaixão e da curiosidade na vida diária. Embora Einstein visse tais qualidades como boas por si só, também sabia que elas possuíam outras vantagens: levavam a um pensamento mais claro e a um modo de viver e trabalhar mais produtivo. Ele não caiu na armadilha de acreditar que ser rigoroso é a chave do sucesso. Sobre esse assunto, escreveu:

> *Um ser humano é parte do todo chamado universo, uma parte limitada no tempo e no espaço. Ele experimenta a si mesmo, seus pensamentos e seus sentimentos como algo separado do resto, um tipo de ilusão de óptica da consciência. Essa ilusão é uma prisão para nós, restringindo-nos a nossos desejos pessoais e à afeição por algumas poucas pessoas ao nosso redor. Nossa tarefa deve ser nos libertarmos dessa prisão, aumentando nosso círculo de compaixão para abraçar todas as criaturas vivas e a natureza inteira em toda a sua beleza. Ninguém é capaz de alcançar isso completamente, mas o esforço para tal realização é, em si, uma parte da libertação e uma base para a segurança interior.*[16]

Práticas para a semana seis

- Existe uma meditação nova esta semana. É a Meditação da Amizade de dez minutos detalhada a seguir (faixa 7 do CD), que deve ser realizada em seis dos próximos sete dias. Cada vez que for fazê-la, sente-se tranquilamente, usando a faixa 1 ou 4 do CD para orientá-lo (semanas um e três), ou, caso se sinta capaz, dispense a ajuda do CD.

Além disso:

- Continue a Meditação do Espaço de Respiração de três minutos (ver p. 109), tentando praticá-la duas vezes ao dia e sempre que sentir necessidade.
- Você também deve tentar realizar um dos Liberadores de Hábitos do final do capítulo.

CAPÍTULO ONZE

Semana sete: quando você parou de dançar?

Era onze e meia da noite e Marissa estava lutando contra a Meditação do Espaço de Respiração. Naquele dia, mais do que nunca, ela realmente precisava de uma pausa para respirar. Estava desesperada para se acalmar e ter uma boa noite de sono, mas logo que começou a meditação foi interrompida pelo toque irritante do seu celular, avisando que havia chegado uma mensagem. Ela já podia prever do que se tratava: era sua chefe, Leanne, perguntando se ela havia conferido os relatórios da empresa.

Leanne era uma mulher que nunca descansava e não entendia como as outras pessoas eram capazes de fazê-lo. Ela não conseguia separar o trabalho do resto da vida. Trabalhava doze horas por dia e vivia bombardeando os funcionários com mensagens e e-mails às altas horas da noite. Ela parecia mal-humorada, agressiva e impulsiva. E, ainda por cima, estava se tornando ineficiente, esquecida e sem criatividade. Marissa teve muitos dos problemas de Leanne até dois anos antes, quando descobriu a atenção plena. Após anos de infelicidade, estresse e exaustão, ela aprendeu a relaxar e começou a viver de novo. A atenção plena tinha melhorado muito a sua vida, mas ainda havia vários momentos de tensão – geralmente quando tinha de enfrentar as exigências da chefe. Marissa retornou a sua Meditação do Espaço de Respiração. Sentiu a tensão no pescoço e nos ombros, a pulsação nas têmporas e a respiração rápida e superficial. Eram sinais de que estava sob pressão intensa e que, se não tomasse cuidado, logo ficaria deprimida. As semanas anteriores haviam sido infernais, mas ela estava determinada a não ser atraída para o poço escuro do Funil da exaustão.

Como Marissa descobriu, muitos dos problemas da vida, como infelicidade, ansiedade e estresse, podem ser comparados a um funil por onde escorrem nossa energia e nossa vida.

Funil da exaustão

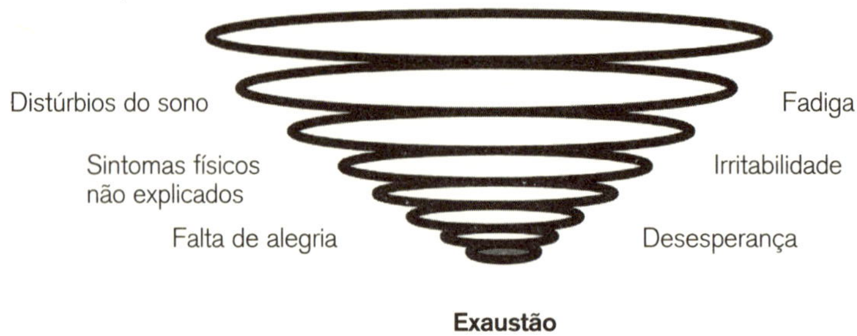

Reproduzido com permissão de Marie Åsberg.

O Funil da exaustão

Nossa colega, a professora Marie Åsberg, do Instituto Karolinska em Estocolmo, é especialista em esgotamento. Ela usa o Funil da exaustão para descrever como isso pode acontecer com qualquer um de nós.

O círculo no alto representa como as coisas são quando estamos vivendo uma vida plena e equilibrada. Com o aumento da atividade, porém, muitos de nós tendemos a abrir mão das coisas para nos concentrar no que consideramos mais "importante". O círculo se estreita, ilustrando o estreitamento de nossa vida. Se o estresse persistir, abrimos mão de mais e mais. O círculo continua se estreitando.

Observe que, com frequência, as primeiras coisas de que abrimos mão são aquelas que mais nos revigoram, mas que parecem "supérfluas". O resultado é que, cada vez mais, só nos resta o trabalho e outras atividades estressantes que esgotam nossos recursos, sem nada para nos reabastecer ou revigorar – provocando a exaustão.

A professora Åsberg sugere que as pessoas que descem mais fundo são as mais conscienciosas, cujo nível de autoconfiança depende de seu desempenho no trabalho. O diagrama também mostra a sequência de "sintomas" acumulados por Marissa quando ela pressupunha que a vida social fosse dispensável: o funil se estreitou, e ela ficou cada vez mais exausta.

O funil é criado quando você estreita o círculo de sua vida para se concentrar na solução de seus problemas imediatos. Ao descer por ele, você progressivamente abre mão de coisas cada vez mais agradáveis (e que podem ser vistas como opcionais) para abrir espaço às coisas mais "importantes", como o trabalho. Ao deslizar ainda mais para baixo, fica cada vez mais exausto, hesitante e descontente, até que acaba sendo expelido no fundo, uma sombra de seu antigo eu.

É fácil ser atraído para esse processo. Se você está sobrecarregado ou tem coisas de mais em sua agenda, é natural tentar abrir espaço "enxugando" sua vida. Isso geralmente significa desistir de um hobby ou da vida social. Mas esse tiro costuma sair pela culatra. Sem as atividades que proporcionam alívio, nos tornamos menos energizados, criativos e eficientes. Para liberar ainda mais espaço para o trabalho, Marissa abandonou o clube do livro e o coral. Após mais alguns meses, as pressões no trabalho novamente a forçaram a prejudicar ainda mais sua vida. Ela passou a sair mais tarde do trabalho e, para isso, teve que matricular a filha de 9 anos num curso depois da aula. Mas aquilo também teve um efeito negativo inesperado. Ela logo passou a se sentir culpada por ver menos a filha. A culpa atrapalhava seu sono, e ela se tornou ainda menos eficiente.

Leanne bolou uma solução: um laptop. Aquilo permitiu que Marissa fizesse seus relatórios enquanto a filha via televisão. É claro que ela passou a trabalhar ainda mais. Ela começou a se alimentar basicamente de fast-food e comida congelada, para não perder tempo na cozinha. Aos poucos, a conversa entre mãe e filha foi rareando, resumindo-se a poucos comentários sobre programas de TV.

Centímetro por centímetro, Marissa vinha abrindo mão de todas as coisas que adorava e que a revigoravam, a favor daquilo que passou a detestar: o trabalho. Se antes ela adorava trabalhar, agora via o emprego como uma armadilha, que drenava sua vida e a deixava exausta e cada vez mais descontente.

Foi um terapeuta ocupacional que a libertou. Ele ministrava um curso de atenção plena que fazia parte de uma pesquisa sobre como a meditação pode ajudar pessoas saudáveis a reduzir seus níveis de estresse no trabalho. Apenas quando Marissa começou o curso é que se deu conta de como estava mal. No início do curso, ela recebeu uma folha listando os sintomas mais comuns do estresse, da depressão e da exaustão mental, e foi instruída a marcar aqueles que a identificassem. Marissa marcou quase todos. Eram coisas como:

- Tornar-se cada vez mais mal-humorada ou irritável.
- Reduzir sua vida social ou simplesmente "não querer ver as pessoas".
- Não querer lidar com atividades corriqueiras, como abrir a correspondência, pagar as contas ou retornar as chamadas telefônicas.
- Ficar exausta com facilidade.
- Parar de fazer exercícios físicos.
- Adiar ou ultrapassar os prazos.
- Apresentar mudanças nos padrões de sono (dormindo de mais ou de menos).
- Mudar os hábitos alimentares.[1]

Alguns desses sintomas lhe parecem familiares?

Exteriormente, Marissa conseguira preservar a fachada de trabalhadora ocupada e eficiente, mas por dentro estava desmoronando. De início, recusou-se a acreditar que tinha um problema. Achava que tudo o que faltava eram algumas boas noites de sono. As meditações que aprendeu permitiram que dormisse, mas quando os demais benefícios da atenção plena começaram a aparecer, Marissa percebeu quão próxima chegara de um colapso. Sua vida estava escoando pelo Funil da exaustão.

SÓ TRABALHO, SEM DIVERSÃO?

Como mostram as experiências de Marissa, algumas atividades são mais do que apenas relaxantes ou agradáveis – elas nos revigoram num nível bem mais profundo também. Ajudam a desenvolver nossa resistência às tensões da vida e nossa capacidade de enxergar o que há de bom nela. Outras atividades nos esgotam, drenam nossa energia, tornando-nos mais fracos e vulneráveis. Em pouco tempo, essas atividades começam a monopolizar nossa rotina. Se estamos sob pressão, as coisas que nos revigoram são gradualmente abandonadas, quase sem percebermos, lançando-nos no centro do Funil da exaustão.

Faça o teste a seguir para ver quanto de sua vida é dedicado a atividades que o revigoram e àquelas que o exaurem. Primeiro, percorra mentalmente suas diferentes tarefas de um dia típico. Sinta-se livre para fechar os olhos a fim de ajudar a trazê-las à mente. Se você passa grande parte do dia fazendo a mesma coisa, tente decompor as atividades em partes menores, como falar com colegas, preparar o café, escrever textos, almoçar. Que coisas costuma fazer à noite ou num fim de semana típico?[1]

Agora anote tudo, listando entre dez e quinze atividades de um dia típico na coluna no lado esquerdo da página.

Atividades que você faz num dia típico	R/D

Quando tiver completado a lista, faça a si mesmo estas perguntas:

1. Das coisas que você anotou, quais o revigoram? O que levanta seu astral, energiza você, faz com que se sinta calmo e centrado? O que aumenta sua sensação de estar vivo e presente? Essas são atividades revigorantes.

2. Das coisas que você anotou, quais o esgotam? O que o derruba, drena sua energia, faz com que se sinta tenso e vazio? O que reduz sua sensação de estar vivo e presente, o que faz você sentir que está meramente existindo? Essas são atividades desgastantes.

Agora complete o exercício colocando um "R" para "revigorante" ou "D" para "desgastante" no lado direito, correspondendo a cada atividade. Se uma atividade for ambas as coisas, anote sua primeira reação, ou se não conseguir escolher, coloque R/D ou D/R. Às vezes você vai querer dizer "depende". Nesses casos, talvez seja útil se perguntar: depende de quê? O objetivo deste exercício não é chocá-lo nem perturbá-lo, mas dar uma ideia do equilíbrio entre aquilo que o energiza e o que o esgota. O equilíbrio não precisa ser perfeito, já que uma atividade revigorante que você adora pode facilmente sobrepujar qualquer número de atividades esgotantes. Mesmo assim, convém dispor de ao menos algumas atividades revigorantes (e preferivelmente realizar ao menos uma por dia) para contrabalançar as desgastantes. Pode ser algo simples como tomar um longo banho de banheira, ler um livro, sair para um breve passeio ou entregar-se ao seu hobby. O velho ditado "Nem só de pão vive o homem" contém mais que um fundo de verdade. Em algumas culturas, os médicos não perguntam "Quando você começou a se sentir deprimido?", e sim "Quando você parou de dançar?".

REAPRENDER A DANÇAR

Entender que percentual de sua vida é dedicado a atividades desgastantes é importante, mas é fundamental tomar a iniciativa de dedicar menos tempo a elas – ou dedicar mais esforço aos passatempos revigorantes. Um foco central do curso de atenção plena na semana sete é restabelecer o equilíbrio entre as coisas que o revigoram e aquelas que o esgotam.

Passo 1: reequilibrar sua vida diária

Passe alguns minutos refletindo sobre como você pode começar a restabelecer o equilíbrio entre as atividades revigorantes e as desgastantes que listou na tabela anterior. Talvez você possa fazer isso junto com alguém com quem compartilhe sua vida – um parente ou amigo, por exemplo.

Haverá alguns aspectos que você não pode mudar por enquanto. Se o trabalho for uma de suas grandes fontes de dificuldade, talvez você não possa dar-se o luxo de pedir demissão (ainda que esta seja a solução mais apropriada). Se você não pode mudar uma situação, ainda assim há duas opções: você pode tentar dedicar mais tempo às atividades revigorantes e reduzir o tempo que dedica às atividades desgastantes, ou pode estar plenamente presente enquanto executa as tarefas desgastantes. Você pode tentar se tornar plenamente consciente delas, em vez de julgá-las ou desejar se livrar delas. Estando presente em mais momentos, e tomando decisões conscientes sobre o que realmente quer nesses momentos, você pode aceitar melhor os pontos bons e ruins de seu dia. Também descobrirá caminhos inesperados para a felicidade e a realização.

Vejamos o caso de Beth. Ela era uma escriturária no escritório de um grande banco, e vivia correndo de um lado para outro. Não havia tempo para relaxar, muito menos para meditar. Após umas semanas de prática de atenção plena em casa, ela começou a prestar mais atenção à agitação de seu dia. Observou que pequenos intervalos se abriam mesmo nos momentos mais frenéticos. Por exemplo, ela percebeu que passava um tempo enorme tentando falar com outras pessoas da empresa, e que essa era uma das partes mais irritantes de seu trabalho – esperar pela resposta dos outros. Frequentemente se via resmungando com raiva: “Por que eles não estão nas suas mesas realizando seu trabalho, como eu?”

Foi aí que ela teve um lampejo: ali estava um momento que ela poderia reivindicar para si. Um momento de silêncio que poderia usar para se ancorar e se reconectar consigo mesma. Ela começou a usar aqueles intervalos como espaços de respiração, nos quais podia se afastar mentalmente do alvoroço. Após um tempo, descobriu outros momentos em que podia recuar – por exemplo, esperando o computador ligar de manhã, esperando a máquina preparar o café, indo para as reuniões ou na hora do almoço. Agora ela podia procurar lacunas ao longo do dia, usando aqueles momentos para transformar seus pensamentos, sentimentos e comportamento. Não foi necessário aumentar substancialmente o tempo dedicado às atividades revigorantes ou reduzir a quantidade de tempo gasta nas desgastantes – ela apenas alterou seu relacionamento com as coisas desagradáveis porém inevitáveis. Havia descoberto que, mesmo nos dias mais ocupados, havia "rachaduras" na muralha impenetrável de trabalho.

À sua própria maneira, Beth encontrou um meio de se "voltar para" as experiências, em vez de evitá-las ou de fugir delas. Esta é a atenção plena que você também vem aprendendo: observar os aspectos difíceis de sua vida diária, bem como suas crenças e expectativas a respeito deles, e aproximá-los de você. É isso que as seis semanas anteriores de prática ensinaram.

Agora está na hora de traçar o próprio mapa para alterar o equilíbrio entre suas atividades. Na tabela a seguir anote cinco maneiras de alterar esse equilíbrio. Não se preocupe se não conseguir pensar em cinco, apenas complete a tabela quando as outras lhe vierem à mente. Concentre-se nas pequenas coisas da vida. Esta é uma parte crucial da prática. Não escreva "Mudar de emprego" ou "Praticar alpinismo", por exemplo. Escolha coisas que você possa facilmente realizar, como "Fazer uma pausa para o café a cada duas horas", "Levar os filhos a pé à escola, em vez de ir de carro", "Comer menos fast-food e cozinhar ao menos uma vez por semana". Você pode tentar decompor as coisas em blocos menores também. Por exemplo, limpar um armário ou arrumar um canto de sua escrivaninha por cinco minutos, em vez de arrumar tudo até ficar perfeito. Ou pode encerrar o trabalho de uma forma diferente, desligando o computador quinze minutos antes para ter tempo de examinar a agenda do dia seguinte, em vez de responder aos e-mails até o último minuto.

Note como é possível lidar mais habilmente com uma atividade desgastante apenas reservando tempo suficiente para ela. Veja se é possível fazer uma pequena pausa antes e depois, para que ela tenha seu espaço. Tenha em mente que o que considera desgastante é pessoal, portanto não compare sua lista com as atividades que os outros consideram revigorantes ou desgastantes.

Alterarei o equilíbrio entre atividades revigorantes e desgastantes tomando estas medidas:

____

____

____

____

____

E o mais importante de tudo: veja se consegue manter a atenção plena ao realizar tanto as atividades revigorantes como as desgastantes – em especial quando estiver conscientemente mudando o equilíbrio entre elas. Tente sentir como mesmo as mudanças mais ínfimas podem alterar como você pensa e sente, e como isso afeta seu corpo.

Retorne à tabela com frequência, talvez semanalmente, ou quando sentir que seu humor está piorando. E lembre-se de que você não precisa fazer grandes mudanças de direção: andar na ponta dos pés está ótimo.

Muitas pessoas arranjam desculpas para evitar ou protelar a mudança do equilíbrio, em geral por motivos "sensatos" e "altruístas". Algumas dizem: "Estou me dividindo entre ser mãe, profissional, esposa e dona de casa. Não dá mesmo para encontrar um tempo para mim." Outros apontam os grandes projetos e dizem: "Não posso me divertir agora. Talvez quando este projeto terminar."

À primeira vista, essa abordagem parece razoável, mas não é viável a longo prazo. Com o tempo, se não reequilibrarmos nossa vida, acabaremos menos eficazes em tudo o que fazemos. Veja outros motivos comuns que as pessoas usam como desculpa para não reequilibrar suas vidas:[1]

- Existem coisas sobre as quais não tenho escolha, como ir trabalhar.
- Se eu não continuar neste ritmo, vou ficar para trás.
- É vergonhoso mostrar fraqueza no trabalho.
- Não fui criado para reservar tempo para mim mesmo.
- Só consigo me divertir depois que todas as minhas obrigações forem cumpridas.
- Sou responsável por cuidar de muita gente. Seria errado me colocar em primeiro lugar.

Se qualquer um desses motivos lhe diz alguma coisa, talvez você precise perceber que muitos deles dependem de velhos hábitos de pensamento. A atenção plena ajuda a ir além dos extremos, a ver como você pode achar meios criativos de se revigorar de muitas formas. Como Beth, você pode começar a encontrar lacunas em seu dia. E, ao longo do tempo, conquistar um equilíbrio maior entre atividades revigorantes e desgastantes.

Ver claramente o equilíbrio entre as coisas que o revigoram e aquelas que o esgotam é importante. Mas elas também trazem uma mensagem subjacente mais profunda. Primeiro, ajudam a explorar as ligações entre suas ações e seu estado de espírito. No fundo, quando estamos descontentes, estressados ou exaustos, sentimos que não há nada que possamos fazer a respeito. Parece não ter solução. Se nos sentimos dominados pelo estresse, *estamos estressados e ponto final*. De forma semelhante, se você se sente exausto, sem energia ou sem vigor, acha que "é assim que as coisas são" e que "não há nada que eu possa fazer para mudar isso".

Dedicar tempo a encontrar meios de reequilibrar sua vida diária encoraja-o a ver esses pensamentos como meros pensamentos – e não como reflexos da realidade. Além disso, detectar uma mudança nesse equilíbrio pode servir como sinal de alerta para a mudança de humor e como um mapa para voltar a ter uma vida equilibrada e feliz. Se você sabe que atividades o revigoram, pode fazê-las com mais frequência quando se sentir estressado ou infeliz. Isso pode ser de grande importância, porque a infelicidade difusa, o estresse e a exaustão crônica solapam sua capacidade de tomar decisões. Mas se você se planejou para enfrentá-la, uma pequena queda do humor pode se tornar um trampolim para a felicidade, em vez de um degrau para o sofrimento. Pensamentos negativos fazem parte da vida, o que não significa que você tenha de se entregar a eles.

Passo 2: Espaço de Respiração e atitude

O primeiro tema deste capítulo foi conscientizá-lo do equilíbrio entre atividades desgastantes e revigorantes. O segundo tema desenvolve o primeiro, combinando o Espaço de Respiração de três minutos com uma ação concreta para fazer uma diferença imediata e significativa na forma como você se sente. O Espaço de Respiração pode ser mais do que um meio de reconectá-lo com sua consciência expandida: pode também agir como um trampolim para ajudá-lo a agir habilmente.

Você já deve ter experimentado, por meio de sua prática de atenção plena, que as lentes pelas quais enxerga o mundo se tornaram mais claras, permitindo que você examine a realidade com mais objetividade. Com isso em mente, após se "ancorar" pela meditação, você pode começar a tomar atitudes mais sensatas. Portanto, esta semana, quando se sentir estressado, pratique um espaço de respiração primeiro, depois pense em que atitude você pode tomar. Não precisa ser nada produtivo do ponto de vista profissional, mas deve ser algo que pareça correto e apropriado. Não deve ser impulsivo nem habitual, e sim uma atividade que vá de fato melhorar sua vida.

Como já vimos, com frequência a melhor atitude é permanecer plenamente atento e deixar que a situação se resolva por si só. Porém, durante esta semana em particular, concentre-se em uma ação específica, quase como um experimento comportamental. Mais uma vez, você não precisa *sentir vontade* de fazer – simplesmente *precisa* fazer! Isso porque pesquisas constataram que, quando nosso humor está ruim, nosso processo de motivação habitual se reverte. Em geral, somos motivados a fazer algo e depois fazemos. Mas quando estamos tristes ou deprimidos, precisamos fazer algo *antes* que a motivação venha. A motivação sucede a ação, e não vice-versa. Você pode ter percebido isso em uma ocasião em que não queria sair com seus amigos, mas acabou saindo e se divertindo muito. Em suma, quando você se sente cansado, estressado ou ansioso, esperar até que se sinta motivado pode não ser a solução mais sábia. Você precisa pôr a ação em primeiro lugar.

Quando o astral está baixo, a motivação sucede a ação, e não vice-versa. Quando você coloca a ação primeiro, a motivação vem em seguida.

Portanto, após ter usado o Espaço de Respiração em momentos de estresse esta semana, pare um pouco e pergunte a si mesmo:

- De que preciso neste momento?
- Como posso cuidar melhor de mim neste momento?

Você dispõe de três opções para a ação hábil:

- Pode fazer algo prazeroso.
- Pode fazer algo que dará uma sensação de satisfação ou domínio sobre sua vida.
- Ou pode continuar agindo com atenção plena.

Por que essas três opções? Porque o tipo de exaustão e estresse que pode ser mais danoso a sua qualidade de vida afeta particularmente estas três coisas: sua capacidade de se divertir, sua capacidade de controle e sua motivação para a atenção plena. Vamos ver cada uma delas.

Fazer algo prazeroso[1] A exaustão, o estresse e o mau humor fazem com que, em vez de curtir a vida, você experimente "anedonia" - ou seja, você não consegue ver *prazer* na vida. As coisas de que costumava gostar não lhe despertam mais interesse, como se um nevoeiro denso tivesse formado uma barreira entre você e os prazeres simples, e quase nada mais parece gratificante. Pesquisas indicam que grande parte disso ocorre porque os "centros da recompensa" do cérebro se tornaram insensíveis às coisas que costumavam ativá-los. Assim, pouco a pouco, ao praticar uma ação consciente, você começa a despertar esses caminhos negligenciados, selecionando atividades de que você gostava ou que poderia gostar agora, e descobrir se lhe dão prazer.

Aumentar as sensações de domínio ou controle Ansiedade, estresse, exaustão e infelicidade reduzem sua sensação de *controle* sobre sua vida. Pesquisas descobriram que, quando nos sentimos fora de controle numa área da vida, essa sensação se espalha feito um vírus, afetando outras áreas também. Acabamos nos sentindo impotentes, dizendo a nós mesmos "Não há nada que eu possa fazer" ou "Simplesmente me falta a energia".

Quando esse "vírus da impotência" entra em ação, afeta até mesmo as pequenas coisas. Você pode ficar sem ânimo até para sair de casa e pagar uma conta. Mas essa pendência fica acusando-o a cada dia, lembrando que você não está dando conta do recado. Aos poucos, essas pequenas coisas não realizadas dão a impressão de que você perdeu o controle sobre tudo. Então, em passos delicados, selecione ações minúsculas que *possam* ser realizadas e, feito isso, você verá que não é tão impotente quanto se julgava.

Aumentar a atenção plena[1] Como você viu ao longo deste curso, o estresse e a exaustão surgem do (e contribuem para o) modo Atuante da mente, que se apresenta para "ajudar" quando você está estressado, mas, como efeito colateral, estreita sua vida, enchendo-a com excesso de análise, esforço, piloto automático, desatenção. Assim, após o Espaço de Respiração desta semana, você dispõe de outra ação – agir com atenção plena e retornar aos seus sentidos: O que seus olhos veem, seus ouvidos ouvem, seu nariz cheira? O que você pode tocar? Como está sua postura, sua expressão facial? O que existe a sua volta, se você tiver um momento de atenção plena?

Escolhendo as ações – seja específico

Apresentamos algumas ideias a seguir, mas não se sinta limitado a elas. Faça o que for melhor para você. Não se sinta culpado por fazer algo por puro capricho. E não espere milagres. Veja se consegue realizar o que planejou. Aumentar a pressão esperando que isso altere as coisas pode ser ilusório. Pelo contrário, atividades são experimentos úteis para recuperar sua sensação geral de prazer, controle e atenção plena diante das mudanças de humor.

1. Fazer algo agradável[1]

- *Seja gentil com seu corpo.* Tome um bom banho morno; tire uma soneca de até trinta minutos;[2] saboreie sua comida favorita sem sentir culpa; beba sua bebida preferida.
- *Envolva-se em uma atividade agradável.* Saia para caminhar; visite um amigo; providencie os materiais para realizar seu hobby; pratique exercícios; ligue para um amigo com quem perdeu o contato faz tempo; veja algo engraçado ou edificante na TV; vá ao cinema; leia algo que lhe dê prazer (nada de leitura "séria"); ouça uma música que não tem ouvido faz muito tempo; pratique um dos Liberadores de Hábitos de um capítulo anterior.

Quais coisas você pode acrescentar a esta lista?

Ser gentil com meu corpo	Atividades agradáveis

2. Fazer algo que dê uma sensação de domínio, satisfação, realização ou controle[3]

Estas coisas às vezes são difíceis de fazer, porque podem cansá-lo ainda mais em vez de aliviar a exaustão. Por isso, sugerimos quantidades *pequenas* de uma atividade, como um *experimento*, especificamente quando você se sente impotente ou sem controle. Tente não julgar como se sentirá depois de completar a tarefa. Mantenha a mente aberta. Pode ser algo como limpar seu quarto, arrumar um armário ou gaveta, escrever uma carta de agradecimento, pagar uma conta, fazer algo que vem adiando, malhar. Se quiser, decomponha a atividade em etapas menores e enfrente apenas uma de cada vez. É especialmente importante congratular-se sempre que completar uma tarefa ou mesmo *parte* de uma. Por exemplo, se você resolve limpar um quarto, faça-o por apenas cinco minutos em vez de dez ou vinte. Saboreie as sensações de satisfação, realização e controle que isso lhe dá.

Quais coisas você pode acrescentar a esta lista?

O que me dá uma sensação de domínio, satisfação, realização ou controle?

3. Agir com atenção plena[3]

Seja lá o que estiver fazendo, a atenção plena estará a apenas uma respiração de distância. É fácil: basta concentrar toda a sua atenção somente naquilo que já está fazendo *agora*. Assim, veja se é possível trazer sua mente para o momento presente, por exemplo: "Agora estou parado na fila... Agora estou avançando... Agora vou pegar minha sacola..." Esteja atento a sua respiração enquanto faz outras coisas. Esteja atento ao contato dos seus pés com o solo enquanto está parado e ao andar. Ninguém mais precisa saber que você está realizando uma prática de atenção plena, e ela pode mudar todo o seu dia.

A verdade é que muitas vezes mudanças minúsculas no que você faz – com ou sem vontade – podem alterar profundamente a maneira como você se sente. Você pode se reenergizar, desestressar ou melhorar seu astral dando poucos passos à frente. Por exemplo, uma curta caminhada pode dissolver a exaustão, uma xícara de chá pode ajudá-lo a relaxar ou dez minutos lendo sua revista favorita podem reduzir o estresse. Agir com atenção plena nos faz descobrir quais atividades acalmam nossos nervos em momentos de crise. Muitas vezes parecerão passos minúsculos, quase inconsequentes. Porém, quando você combina essas pequenas ações com a Meditação do Espaço de Respiração, produz algo com profundo poder e importância. E essa é uma coisa que você deve sentir pessoalmente. Você pode ter ouvido isso mil vezes, mas nada se compara a sentir por si mesmo. Esta é a mensagem central da semana sete:

Ações minúsculas podem alterar fundamentalmente para melhor seu relacionamento com o mundo.

Sinos da atenção plena

Pegue algumas atividades comuns de sua vida diária e transforme em "Sinos da atenção plena", ou seja, lembretes para parar e prestar atenção. Sugerimos uma série de atividades que você pode transformar em sinos. Que tal tirar uma cópia desta página e colá-la na sua geladeira como um lembrete?

- **Preparar a comida** Cozinhar é uma ótima oportunidade para despertar a atenção plena: visão, audição, paladar, olfato, tato, tudo está presente. Concentre-se na sensação da faca ao descascar verduras de diferentes texturas, no cheiro liberado por cada alimento cortado.
- **Comer** Tente participar de uma refeição em silêncio ou sem a distração da TV ou do celular. Realmente concentre-se na comida: cores, formas,

sensações, o caminho que o alimento percorreu até chegar a você. Veja o que sente quando dá a primeira garfada. Qual o gosto da quarta?

- **Lavar louças** Uma ótima oportunidade de explorar sensações, constantemente voltando ao momento presente: enxaguando o prato, água fluindo, sensação da temperatura, etc.

- **Dirigir** Observe o que pensa enquanto dirige. Pensou na próxima reunião do trabalho? Se você decide se concentrar em algo que não seja o próprio ato de dirigir, observe se consegue trazer a direção para primeiro plano quando a situação exigir. Dedique parte do tempo a fazer da direção seu foco primário – todas as sensações, o movimento de suas mãos, de seus pés, etc., o exame visual que está fazendo, a mudança de foco visual para longe e perto, e assim por diante.

- **Caminhar** Preste atenção nas sensações de caminhar. Observe quando a mente vai para outro lugar, e volte a "apenas caminhar".

- **Tornar-se um cidadão modelo** Ao atravessar a rua, use os sinais de pedestre como uma oportunidade de ficar parado e concentrar-se na respiração.

- **Escutar** Quando conversar com alguém, observe quando não estiver mais escutando – quando começar a pensar em algo diferente, o que irá dizer em resposta, etc. Retorne a realmente escutar.

QUANDO O ESTRESSE E A EXAUSTÃO SÃO ESMAGADORES – O QUE MARISSA PERCEBEU

Às vezes Marissa constatava que, apesar de sua prática de atenção plena, sensações de ser esmagada pela vida surgiam do nada. Tudo parecia transcorrer perfeitamente quando, de repente, sentia-se muito cansada, com pensamentos tristes passando por sua mente.

Quando coisas surgiam assim do nada, sempre desencadeavam padrões de pensamento que se baseavam em sua história singular. Porque ela estivera desanimada no passado, seu cansaço de *agora* desencadeava velhos hábitos de pensamento daquele passado cheios de lembranças generalizadas.

Ela descobriu que aqueles padrões eram tenazes. Eram difíceis de abandonar, mas, após algum tempo, passou a reconhecê-los por meio de um aspecto que todos compartilhavam: *eles destruíam sua motivação para agir e se reerguer*. Quando isso ocorria, ela dizia a si mesma: "Só porque estou me sentindo assim não significa que as coisas tenham de permanecer assim."

Marissa se indagava: "Como posso cuidar de mim de forma a suportar esse período difícil?" Praticava um espaço de respiração para ajudar a concentrar as energias. Achou útil usar a prática da semana cinco de dirigir sua atenção para o corpo a fim de ver como seu humor se refletia nas sensações físicas e permitir que sua atenção permanecesse ali. Isso ajudou a ver sua situação de uma perspectiva mais ampla, o que, por sua vez, permitiu que ela percebesse a força de seus velhos hábitos de pensar e descobrisse que atitudes tomar para se sentir melhor nos momentos mais vulneráveis.

A vida diária oferece inúmeras oportunidades para você parar, concentrar-se, lembrar de estar plenamente desperto e ancorado no momento presente.

Práticas para a semana sete

Na próxima semana, sugerimos que você realize três meditações em seis dos sete dias. Adapte sua prática de meditação formal escolhendo duas das meditações do CD que tenha realizado antes.

Escolha uma meditação que tenha trazido benefícios revigorantes, como ajudá-lo a relaxar ou fazer com que se sinta bem em relação ao mundo. Escolha outra que você não tenha conseguido dominar plenamente da primeira vez e que considera interessante tentar de novo. Dedique uns vinte a trinta minutos às duas meditações combinadas.

Você pode realizá-las em sequência enquanto ouve as faixas correspondentes no CD ou em diferentes momentos do dia. A ordem em que as realiza não é importante. Tente lembrar que é o espírito da meditação que importa, não os detalhes.

Escreva as duas meditações que planeja fazer aqui (você pode refletir sobre a decisão por uns momentos se quiser):

1. ______________________________

2. ______________________________

3. A Meditação do Espaço de Respiração de três minutos (duas vezes ao dia em horários marcados e quando necessário – ver p. 109)

CAPÍTULO DOZE

Semana oito: sua frenética e preciosa vida

É importante que você cuide.
É importante que você sinta.
É importante que você observe.
DE "HOKUSAI DIZ", ROGER KEYES

Existe uma velha história sobre um rei que queria mudar de palácio.[1] Mas por temer que seus inimigos se aproveitassem disso para atacá-lo e roubar seus tesouros, convocou seu general de confiança. "Meu amigo", disse ele, "tenho que sair do palácio dentro de 24 horas. Tens sido meu servidor e soldado de confiança há muito tempo. Não confio em mais ninguém para me ajudar nessa tarefa. Somente tu conheces a rede de passagens subterrâneas entre este palácio e o outro. Se puderes me ajudar, carregando meus preciosos tesouros, darei a ti e a tua família a independência: poderás te aposentar do serviço e, como recompensa por tua fidelidade de tantos anos, receberás uma parte de minha riqueza e minhas terras, o que permitirá a tua família viver financeiramente segura para sempre."

Chegou o dia em que os tesouros deveriam ser transferidos. O general esforçou-se. Não era um homem jovem, mas persistiu em seus esforços. Sabia que a tarefa precisava ser cumprida em 24 horas. Após aquilo, seria arriscado prosseguir. No último momento, completou a missão. Foi ver o rei, que estava encantado. Como era homem de palavra, deu-lhe a parte prometida, e as escrituras de algumas das terras mais belas e férteis no reino.

O general voltou para casa e tomou um banho, e enquanto repousava pensou em tudo o que havia conseguido, e relaxou: sentiu uma grande satisfação por poder se aposentar, por ter conseguido realizar suas tarefas e por ter terminado o serviço. Naquele momento, teve a sensação de dever cumprido.

A história termina aqui.

Você sabe como é esse momento? Talvez tenha experimentado algo semelhante quando as coisas deram certo para você no passado. Você teve uma sensação de dever cumprido. Uma sensação de que as tarefas foram realizadas.

Um dos aspectos mais difíceis da corrida frenética pela vida é que com frequência não permitimos que a ideia de "dever cumprido" entre em nossa rotina. Costumamos correr de tarefa em tarefa, o final de uma sendo apenas o início de outra. Não há pausas intermediárias em que podemos dedicar uns poucos *segundos* para nos sentar, refletir e perceber que acabamos de completar algo. Ocorre o inverso. Quantas vezes nos ouvimos dizendo "Não realizei nada hoje"? E fazemos isso com mais frequência quando a atividade chegou ao auge. Haverá uma via alternativa?

Se você consegue cultivar a sensação de dever cumprido - ainda que um vislumbre, neste momento, em relação às pequenas coisas da vida -, existe uma chance de conseguir enfrentar a voz interior que vive dizendo que você ainda não chegou lá: ainda não está satisfeito, ainda não foi tudo realizado. Você pode descobrir que está completo, sim, do jeito que está.

Ao mergulhar nos detalhes da prática de cada semana, você pode ter descoberto que perdeu de vista o objetivo e a estrutura geral do programa. Portanto, eis um breve lembrete do que você vem praticando até aqui.

O objetivo das primeiras sessões foi proporcionar, pela prática da atenção plena formal e informal, muitas oportunidades de reconhecer o modo Atuante e começar o cultivo do modo Existente. Como a atenção costuma ser sequestrada pelas preocupações, as primeiras meditações ensinam a prestar atenção sustentada em um só objeto, usando como foco da atenção coisas que qualquer um de nós tende a considerar corriqueiras, como o gosto da comida, as sensações do corpo, a respiração ou as cores e as formas de uma cena comum. Você aprendeu a ver os padrões mentais que o distraem e como o constante tagarelar da mente pode embotar os sentidos, drenando a cor do momento presente. Você aprendeu a retornar repetidas vezes ao seu objeto de concentração, sem julgamento ou autocrítica. O tema central nesse estágio foi como prestar atenção com gentileza. A prática do ato simples de dar à mente apenas uma coisa para fazer proporcionou muitas oportunidades de despertar e reconhecer que o modo Atuante está ganhando força.

Você aprendeu que o modo Atuante não é errado nem um inimigo do qual precisa se livrar. Só se torna problemático quando se apresenta para uma tarefa que não consegue realizar, depois se recusa a largá-la, fazendo com que você continue atacando um problema quando já está cansado demais para fazer qualquer progresso. Seus projetos e preocupações se tornam exaustivos, e você não consegue abandoná-los.

Assim, o treinamento das últimas sessões concentrou-se em ampliar sua consciência para que você pudesse reconhecer quando o estresse do dia a dia está começando a desencadear o uso excessivo do modo Atuante. Você aprendeu a sair desse modo e entrar no modo Existente. Aprendeu estratégias para reagir mais habilmente quando se sente esmagado pelo excesso de atividade, pelo estresse e pela exaustão. O principal de tudo isso foi a capacidade de desligar o modo Atuante para *vencer* sua mente – e cultivar a gentileza para consigo mesmo e os outros.

A prática da atenção plena não nos *obriga* a abandonar o modo Atuante, mas nos dá a opção e as habilidades para fazê-lo se quisermos.

ENCONTRANDO A PAZ NUM MUNDO FRENÉTICO

Encontrar a paz num mundo frenético não é fácil. Nas horas mais sombrias, pode parecer que o mundo foi projetado para aumentar nossa aflição. O estresse e a ansiedade podem ser esmagadores, a depressão a um passo de distância. Embora essa atitude de que "o mundo está contra mim" seja compreensível, ela também nos limita. Faz com que não percebamos que muitos de nossos problemas resultam do *nosso* modo de vida. Resumindo, nós mesmos nos prejudicamos. Ansiedade, estresse, infelicidade e exaustão costumam ser sintomas de uma doença maior e mais profunda. Não são aflições independentes, mas sintomas da maneira como nos relacionamos conosco mesmos, com as outras pessoas e com o próprio mundo. São sinais dc quc algo está errado em nossa vida. São avisos aos quais precisamos dar atenção.

Se você aceita tudo isso, a porta está aberta para uma abordagem da vida radicalmente diferente – que o encoraja, momento a momento, a viver sua vida *agora*, em vez de adiá-la para amanhã. Todos temos a tendência a adiar nossa vida. Quantas vezes você disse a si mesmo: "Vou colocar o sono em dia no fim de semana", "Quando as coisas acalmarem, vou visitar meus pais" ou "No próximo verão vou tirar umas férias"?

Bem, eis a verdade: *agora* é o futuro que você se prometeu no ano passado, no mês passado, na semana passada. *Agora* é o único momento de que você dispõe. A atenção plena significa despertar para isso. Significa conscientizar-se plenamente da vida que você já tem, em vez de focar na vida que gostaria de ter.

A atenção plena não é uma versão alternativa da psicoterapia ou uma abordagem de autoajuda para melhorar sua vida. Não é uma técnica para entender o passado ou corrigir as formas "incorretas" de pensar no presente. Não encobre as fissuras, mas busca padrões nelas, vendo-as como nossos mestres. A atenção plena não "trata" nossas dificuldades, mas as revela e traz uma consciência penetrante às suas forças propulsoras. Lida com os temas subliminares de nossa vida. E quando eles são expostos à luz da consciência, algo notável acontece: os temas negativos começam a se dissolver aos poucos, por si só. Nossa incessante luta, visão de túnel e lucubrações, nossa tendência a nos perder em pensamentos, a ser guiados pelo piloto automático, a ser consumidos pela negatividade e abandonar as coisas que revigoram nossa alma, tudo isso representa o esforço da mente Atuante. Quando deixamos de ver isso como um inimigo, todas essas tendências se dissolvem.

Podemos lhe dizer tudo isso – podemos até provar com as mais poderosas ferramentas que a ciência tem a oferecer –, mas você precisa experimentar pessoalmente para entender.

Tecemos sonhos falsos para nós, mas o que precisamos realmente é tecer um paraquedas para usar quando a vida começar a ficar difícil. A atenção plena tem sido comparada à produção desse paraquedas.[2] Mas não faz sentido tecê-lo quando estamos em queda livre. Temos que costurá-lo todos os dias, para que esteja disponível em uma emergência. As primeiras sete semanas do programa de atenção plena ajudaram a começar esse processo, mas a semana oito é tão importante quanto todas elas.

A semana oito é o resto de sua vida.

A tarefa agora é aplicar as práticas em sua rotina de forma que seja sustentável a longo prazo.

Tecer o próprio paraquedas: atenção plena para manter sua paz em um mundo frenético[3]

A atenção plena pode servir como um paraquedas de emergência. Eis algumas dicas de como tecê-lo no dia a dia:

- **Comece o dia com atenção plena** Ao abrir os olhos, pare suavemente e faça cinco respirações deliberadas. Essa é sua chance de se reconectar com seu corpo. Caso se sinta cansado, ansioso, infeliz ou incomodado, veja esses sentimentos e pensamentos como eventos mentais se condensando e dissolvendo no espaço da consciência. Se seu corpo dói, reconheça essas sensações como sensações. Veja se consegue aceitar todos os pensamentos, sentimentos e sensações de forma suave e compassiva. Não há necessidade de tentar mudá-los. Aceite-os – pois já estão aqui. Depois que sair do piloto automático, explore o corpo por um ou dois minutos, concentre-se na respiração, ou faça alongamentos suaves antes de sair da cama.
- **Use espaços de respiração para marcar seu dia** Usar espaços de respiração em horários predeterminados ajuda a restabelecer seu foco no

aqui e agora, para que possa reagir com sabedoria e compaixão aos pensamentos, aos sentimentos e às sensações corporais ao longo do dia.

- **Mantenha sua prática de atenção plena** Na medida do possível, continue sua prática de meditação formal. É ela que respalda seus Espaços de Respiração e ajuda a manter a atenção plena pelo maior tempo possível durante o dia.

- **Seja amigo de seus sentimentos** Sinta o que sentir, tente levar uma consciência aberta e gentil a *todos* os seus sentimentos. Lembre-se do poema "A hospedaria" de Rumi (ver p. 132). Lembre-se de estender o tapete de boas-vindas mesmo aos pensamentos mais dolorosos, à fadiga, ao medo, à frustração, à perda, à culpa ou à tristeza. Isso dissipará suas reações automáticas e transformará uma cascata de reações em uma série de opções.

- **Quando se sentir cansado, frustrado, ansioso, zangado ou com qualquer outra emoção poderosa pratique um espaço de respiração** Isso ajudará a "ancorar" seus pensamentos, dissipará suas emoções negativas e o reconectará com suas sensações corporais. Você será capaz de tomar decisões melhores. Por exemplo, caso se sinta cansado, poderá optar por fazer alguns alongamentos para despertar e reenergizar seu corpo.

- **Atividades plenamente atentas** Faça o que fizer, permaneça plenamente atento durante o máximo de tempo que puder. Por exemplo, ao lavar a louça, tente sentir a água, os pratos e as sensações nas mãos. Quando estiver ao ar livre, olhe ao redor e observe a paisagem, os sons e os cheiros do mundo a sua volta. Consegue sentir a calçada sob seus sapatos? Consegue sentir o gosto do ar? Consegue senti-lo passando por seus cabelos e acariciando sua pele?

- **Aumente seu nível de exercício físico** Caminhar, andar de bicicleta, fazer musculação – qualquer atividade física serve para ajudar a tecer seu paraquedas. Veja se consegue trazer uma atitude atenta e curiosa ao seu corpo durante o exercício. Perceba os pensamentos e sentimentos surgindo. Observe atentamente se sente necessidade de "ranger os dentes" ou se começa a sentir os primeiros sinais de pensamentos ou sensações negativos. Veja se consegue ver essas sensações se desenvolvendo. Respire para dentro dessa intensidade. Aos poucos aumente a pressão dos exercícios, mas sempre plenamente atento.

- **Lembre-se da respiração** A respiração está sempre ali para você. Ela o ancora no presente. É como um bom amigo, lembrando que você está bem da maneira como é.

É importante ser realista. Cada um de nós necessita de uma motivação positiva para continuar meditando. Mas a palavra "positiva" não capta o pleno potencial do que está disponível para nós. Se você chegou até este ponto do programa, provavelmente já sabe por que deseja continuar, mas mesmo assim é importante indagar, *realmente indagar*, por que poderia ser importante continuar praticando.

Uma boa forma de fazê-lo é fechar os olhos e se imaginar lançando uma pedra num poço profundo. A pedra representa a pergunta: *O que de mais importante em minha vida pode ser beneficiado pela meditação?*

Sinta a pedra caindo poço abaixo e batendo na superfície da água. Não há pressa para achar respostas. Se uma resposta surgir, deixe a pedra cair ainda mais. Veja se outras respostas surgem. Ao ouvir algumas respostas – ainda que sejam apenas hesitantes – dedique algum tempo a refletir sobre elas, depois anote-as e mantenha-as num local seguro, prontas para serem consultadas se você alguma vez desanimar. Você pode achar diversas respostas para a pergunta. Talvez:

- Meus pais;
- Meus filhos;
- Minha felicidade;

- Minha calma e energia;
- Meu estado de espírito.

O objetivo de permitir que a pergunta seja formulada é mostrar como a prática sustentada ajudará a recuperar sua vida de forma profunda, dia após dia, em vez de vê-la como mais uma "tarefa a ser realizada". A maioria de nós não precisa de mais uma obrigação para acrescentar à longa lista de afazeres diários. Portanto, escrever as próprias respostas num papel e mantê-lo guardado proporciona um lembrete de suas *descobertas positivas* na prática da atenção plena. Elas o encorajam a ir mais fundo. Muitas vezes seu compromisso perderá a força ou se desgastará. Nesses momentos, é bom dar uma olhada em suas motivações.

FAZENDO A ESCOLHA

É hora de decidir qual prática ou combinação de práticas serão sustentáveis para *você* a longo prazo. Você deve ser realista e lembrar que sua escolha não é uma verdade absoluta. É possível mudá-la de um dia para o outro, de uma semana para a outra, ou de um ano para o outro, para corresponder às exigências da sua vida naquele momento. Às vezes, você poderá sentir a necessidade de se reconectar com o corpo na Exploração do Corpo (ver p. 84-87), enquanto outras vezes talvez opte por trazer uma preocupação ao centro de sua consciência, usando a Meditação de Explorar as Dificuldades, da semana cinco (ver p. 135-137). A escolha é sua. Você agora dispõe das habilidades para decidir por si próprio.

Durante quanto tempo você deve meditar? A própria prática ensinará. Lembre-se de que a meditação foi originalmente desenvolvida quando o ser humano vivia pelos campos. De fato, uma das palavras traduzidas como "meditação" significa "cultivo" na língua páli original. Referia-se ao cultivo de alimentos nos campos e flores no jardim. Portanto, quanto tempo deveria durar o cultivo do jardim da atenção plena? Melhor ir ao jardim e ver por si mesmo. Às vezes dez minutos no jardim da prática da meditação serão necessários, mas você pode descobrir que seu cultivo se estenderá facilmente para vinte ou trinta minutos. Não existe um tempo mínimo ou máximo. O tempo do relógio é diferente do tempo da meditação. Você pode simplesmente testar o que lhe parece apropriado e lhe dá a melhor chance de se renovar e revigorar. Cada minuto conta.

A maioria das pessoas constata que é melhor combinar alguma prática formal regular (diária) com a atenção plena no mundo. Existe algo sobre a "cotidianeidade" da prática que é importante. Por cotidiano queremos dizer que, na maioria dos dias de cada semana, você ficará sozinho por um período, por mais curto que seja.

Recorde o conselho dos mestres de ioga: o movimento mais difícil da ioga é o caminho até o seu tapete. Da mesma forma, o aspecto mais difícil da prática formal de atenção plena é se sentar na cadeira e começar. Portanto, se você descobrir que tem sentido falta de praticar, que tal se sentar por um minuto?

Só um minuto.

Ouça a reação de sua mente. *O quê? Só um minuto! Não adianta nada. Não adianta fazer as coisas de qualquer maneira.* Ouça o tom de voz que surgiu em sua mente. Seu perfeccionismo está ajudando ou atrapalhando suas boas intenções?

Venha. Apenas venha – por um minuto. Não precisa tentar silenciar a voz importuna. Traga-a consigo e dê a si mesmo a bênção de um minuto precioso sentado – um momento para lembrar a sua mente e ao seu corpo que existe uma voz diferente, mais sábia, mais tranquila, para ser ouvida. E isso basta por hoje.

Quaisquer que sejam as práticas que você escolher, faça o Espaço de Respiração em algum momento, pois ele é uma grande bênção. Está sempre disponível nos momentos de estresse ou infelicidade. É a forma perfeita de fazer contato consigo mesmo durante o dia. De várias formas, a prática de meditação pela qual você se decidir existe para apoiar seus espaços de respiração. Ele é seu paraquedas.

Pratique como se sua vida dependesse disso,
pois de várias formas, com certeza depende.
Então você será capaz de viver a vida que tem – e
vivê-la como se ela realmente importasse.

Hokusai diz[4]

Hokusai diz
Olhe com atenção.
Ele diz preste atenção, observe.
Ele diz continue olhando, permaneça curioso.
Ele diz que a visão é ilimitada.
Ele diz pense na velhice.
Ele diz continue mudando,
você simplesmente obtém mais de seu verdadeiro ser.
Ele diz detenha-se, aceite-o, repita-se
enquanto for interessante.
Ele diz continue fazendo o que você adora.
Ele diz continue orando.
Ele diz cada um de nós é uma criança,
cada um de nós é antigo,
cada um de nós possui um corpo.
Ele diz cada um de nós está assustado.
Ele diz cada um de nós precisa encontrar um meio de conviver com o medo.
Ele diz tudo está vivo –
conchas, prédios, pessoas, peixes, montanhas, árvores.
A madeira está viva.
A água está viva.
Tudo tem a própria vida.
Tudo vive dentro de nós.
Ele diz viva com o mundo dentro de você.

Ele diz não importa se você desenha ou escreve livros.
Não importa se você serra lenha ou pesca peixes.
Não importa se você fica sentado em casa
e contempla as formigas em sua varanda ou as sombras das árvores
e relvas em seu jardim.
É importante que você cuide.
É importante que você sinta.
É importante que você observe.
É importante que a vida viva através de você.
Contentamento é vida vivendo através de você.
Alegria é vida vivendo através de você.
Satisfação e força
são vida vivendo através de você.
Paz é vida vivendo através de você.
Não tenha medo.
Olhe, sinta, deixe a vida levá-lo pela mão.
Deixe a vida viver através de você.

NOTAS

CAPÍTULO UM

1. Ivanowski, B. & Malhi, G. S. (2007), "The psychological and neurophysiological concomitants of mindfulness forms of meditation", *Acta Neuropsychiatrica*, 19, pp. 76-91; Shapiro, S. L., Oman, D., Thoresen, C. E., Plante, T. G. & Flinders, T. (2008), "Cultivating mindfulness: effects on well-being", *Journal of Clinical Psychology*, 64(7), pp. 840-862; Shapiro, S. L., Schwartz, G. E. & Bonner, G. (1998), "Effects of mindfulness-based stress reduction on medical and premedical students", *Journal of Behavioral Medicine*, 21, pp. 581-599.

2. Fredrickson, B. L. & Joiner, T. (2002), "Positive emotions trigger upward spirals toward emotional well-being", *Psychological Science*, 13, pp. 172-175; Fredrickson, B. L. & Levenson, R. W. (1998), "Positive emotions speed recovery from the cardiovascular sequelae of negative emotions", *Cognition and Emotion*, 12, pp. 191-220; Tugade, M. M. & Fredrickson, B. L. (2004), "Resilient individuals use positive emotions to bounce back from negative emotional experiences", *Journal of Personality and Social Psychology*, 86, pp. 320-333.

3. Baer, R. A., Smith, G. T., Hopkins, J., Kreitemeyer, J. & Toney, L. (2006), "Using self-report assessment methods to explore facets of mindfulness", *Assessment*, 13, pp. 27-45.

4. Jha, A., *et al.* (2007), "Mindfulness training modifies subsystems of attention", *Cognitive Affective and Behavioral Neuroscience*, 7, pp. 109-119; Tang, Y. Y., Ma, Y., Wang, J., Fan, Y., Feng, S., Lu, Q., *et al.* (2007), "Short-term meditation training improves attention and self-regulation", *Proceedings of the National Academy of Sciences* (US), 104(43), pp. 17.152-17.156; McCracken, L. M. & Yang, S.-Y. (2008), "A contextual cognitive-behavioral analysis of rehabilitation workers' health and well-being: Influences of acceptance, mindfulness and values-based action", *Rehabilitation Psychology*, 53, pp. 479-485; Ortner, C. N. M., Kilner, S. J. & Zelazo, P. D. (2007), "Mindfulness meditation and reduced emotional interference on a cognitive task", *Motivation and Emotion*, 31, pp. 271-283; Brefczynski-Lewis, J. A., Lutz, A., Schaefer,

H. S., Levinson, D. B. & Davidson, R. J. (2007), "Neural correlates of attentional expertise in long-term meditation practitioners", *Proceedings of the National Academy of Sciences* (US), 104(27), pp. 11.483-11.488.

5. Hick, S. F., Segal, Z. V. & Bien, T., *Mindfulness and the Therapeutic Relationship* (Guilford Press, 2008).

6. Ver Low, C. A., Stanton, A. L. & Bower, J. E. (2008), "Effects of acceptance--oriented versus evaluative emotional processing on heart rate recovery and habituation", *Emotion*, 8, pp. 419-424.

7. Kabat-Zinn, J., Lipworth, L., Burncy, R. & Sellers, W. (1986), "Four-year follow-up of a meditation-based program for the self-regulation of chronic pain: Treatment outcomes and compliance", *The Clinical Journal of Pain*, 2(3), p. 159; Morone, N. E., Greco, C. M. & Weiner, D. K. (2008), "Mindfulness meditation for the treatment of chronic low back pain in older adults: A randomized controlled pilot study", *Pain*, 134(3), pp. 310-319; Grant, J. A. & Rainville, P. (2009), "Pain sensitivity and analgesic effects of mindful states in zen meditators: A cross-sectional study", *Psychosomatic Medicine*, 71(1), pp. 106-114.

8. Speca, M., Carlson, L. E., Goodey, E. & Angen, M. (2000), "A randomized, wait-list controlled trail: the effect of a mindfulness meditation-based stress reduction program on mood and symptoms of stress in cancer outpatients", *Psychosomatic Medicine*, 62, pp. 613-622.

9. Bowen, S., *et al.* (2006), "Mindfulness Meditation and Substance Use in an Incarcerated Population", *Psychology of Addictive Behaviors*, 20, pp. 343-347.

10. Davidson, R. J., Kabat-Zinn, J., Schumacher, J., Rosenkranz, M., Muller, D., Santorelli, S. F., Urbanowski, F., Harrington, A., Bonus, K. & Sheridan, J. F. (2003), "Alterations in brain and immune function produced by mindfulness meditation", *Psychosomatic Medicine*, 65, pp. 567-570.

11. Godden, D. & Baddeley, A. D. (1980), "When does context influence recognition memory?", *British Journal of Psychology*, 71, pp. 99-104.

CAPÍTULO DOIS

1. http://www.who.int/healthinfo/global_burden_disease/projections/en/index.html.

2. Zisook, S., *et al.* (2007), "Effect of Age at Onset on the Course of Major Depressive Disorder", *American Journal of Psychiatry*, 164, pp. 1.539-1.546, doi: 10.1176/appi.ajp.2007.06101757.

3. Klein, D. N. (2010), "Chronic Depression: diagnosis and classification", *Current Directions in Psychological Science*, 19, pp. 96-100.

4. Twenge, J. M. (2000), "Age of anxiety? Birth cohort changes in anxiety and neuroticism, 1952-1993", *Journal of Personality and Social Psychology*, 79, pp. 1.007-1.021.

5. Michalak, J. (2010), "Embodied effects of Mindfulness-based Cognitive Therapy", *Journal of Psychosomatic Research*, 68, pp. 311-314.

6. Strack, F., Martin, L. & Stepper, S. (1988), "Inhibiting and facilitating conditions of the human smile: A nonobtrusive test of the facial feedback hypothesis", *Journal of Personality and Social Psychology*, 54, pp. 768-777.

7. Way, B. M., Creswell, J. D., Eisenberger, N. I. & Lieberman, M. D. (2010), "Dispositional Mindfulness and Depressive Symptomatology: Correlations with Limbic and Self-Referential Neural Activity During Rest", *Emotion*, 10, pp. 12-24.

8. Watkins, E. & Baracaia, S. (2002), "Rumination and social problem-solving in depression", *Behaviour Research and Therapy*, 40, pp. 1.179-1.189.

CAPÍTULO TRÊS

1. A distinção entre os modos Atuante e Existente da mente foi feita pela primeira vez por Kabat-Zinn, J., *Full Catastrophe Living: Using the Wisdom of Your Body and Mind to Face Stress, Pain and Illness* (Piatkus, 1990), pp. 60-61 e 96-97.

2. Ver o livro de Jon Kabat-Zinn *Coming to our Senses: Healing Ourselves and the World Through Mindfulness* (Piatkus, 2005) para uma discussão mais detalhada destas questões.

3. Adaptado com permissão de Brown, K. W. & Ryan, R. M. (2003), "The benefits of being present: Mindfulness and its role in psychological well-being", *Journal of Personality and Social Psychology*, 84, pp. 822-848.

4. Neste livro, fornecemos um curso de oito semanas para você provar diretamente os benefícios da atenção plena. Em nossa clínica, os participantes são convidados a praticar meditações mais longas por oito semanas, e se você quiser experimentá-las, pode consultar www.mindfulnessCDs.com e o livro que descreve a terapia cognitiva com base na atenção plena, em que este livro se baseia: *The Mindful Way Through Depression: Freeing Yourself from Chronic Unhappiness* de Mark Williams, John Teasdale, Zindel Segal & Jon Kabat-Zinn (Guilford Press, 2007).

5. Davidson, R. J. (2004), "What does the prefrontal cortex 'do' in affect: Perspectives on frontal EEG asymmetry research", *Biological Psychology*, 67, pp. 219-233.

6. Davidson, R. J., Kabat-Zinn, J., Schumacher, J., Rosenkranz, M., Muller, D., Santorelli, S. F., *et al.* (2003), "Alterations in brain and immune function produced by mindfulness meditation", *Psychosomatic Medicine*, 65, pp. 564-570.

7. Lazar, S. W., Kerr, C., Wasserman, R. H., Gray, J. R., Greve, D., Treadway, M. T., McGarvey, M., Quinn, B. T., Dusek, J. A., Benson, H., Rauch, S. L., Moore, C. I. & Fischl, B. (2005), "Meditation experience is associated with increased cortical thickness", *NeuroReport*, 16, pp. 1.893-1.897.

8. Craig, A. D. (2004), "Human feelings: why are some more aware than others?", *Trends in Cognitive Sciences*, vol. 8, nº 6, pp. 239-241.

9. Farb, N., Segal, Z. V., Mayberg, H., Bean, J., McKeon, D., Fatima, Z. & Anderson, A. (2007), "Attending to the present: Mindfulness meditation reveals distinct neural modes of self-reference", *Social Cognitive and Affective Neuroscience*, 2, pp. 313-322.

10. Singer, T., *et al.* (2004), "Empathy for Pain Involves the Affective but not Sensory Components of Pain", *Science*, 303, p. 1.157.

11. Farb, N. A. S., Anderson, A. K., Mayberg, H., Bean, J., McKeon, D. & Segal, Z. V. (2010), "Minding one's emotions: Mindfulness training alters the neural expression of sadness", *Emotion*, 10, pp. 225-233.

12. Fredrickson, B. L., Cohn, M. A., Coffey, K. A., Pek, J. & Finkel, S. M. (2008), "Open hearts build lives: Positive emotions, induced through loving-kindness meditation, build consequential personal resources", *Journal of Personality and Social Psychology*, 95, pp. 1.045-1.062. Ver o site de Barbara Fredrickson em http://www.unc.edu/peplab/home.html.

13. Shroevers, M. J. & Brandsma, R. (2010), "Is learning mindfulness associated with improved affect after mindfulness-based cognitive therapy?", *British Journal of Psychology*, 101, pp. 95-107.

14. Ver http://www.doctorsontm.com/national-institutes-of-health.

15. Schneider, R. H., *et al.* (2005), "Long-Term Effects of Stress Reduction on Mortality in Persons ≥55 Years of Age With Systemic Hypertension", *American Journal of Cardiology*, 95(9), pp. 1.060-1.064 (http://www.ncbi.nlm.nih.gov/pmc/articles/PMC1482831/pdf/nihms2905.pdf).

16. Ma, J. & Teasdale, J. D. (2004), "Mindfulness-based cognitive therapy for depression: Replication and exploration of differential relapse prevention effects", *Journal of Consulting and Clinical Psychology*, 72, pp. 31-40. Segal, Z. V., Williams, J. M. G. & Teasdale, J. D., *Mindfulness-based Cognitive Therapy for Depression: a new approach to preventing relapse* (Guilford Press, 2002).

17. Kenny, M. A. & Williams, J. M. G. (2007), "Treatment-resistant depressed patients show a good response to Mindfulness-Based Cognitive Therapy", *Behaviour Research & Therapy*, 45, pp. 617-625; Eisendraeth, S. J., Delucchi, K., Bitner, R., Fenimore, P., Smit, M. & McLane, M. (2008), "Mindfulness-Based Cognitive Therapy for Treatment-Resistant Depression: A Pilot Study", *Psychotherapy and Psychosomatics*, 77, pp. 319-320; Kingston, T., *et al.* (2007), "Mindfulness-based cognitive therapy for residual depressive symptoms", *Psychology and Psychotherapy*, 80, pp. 193-203.

18. Godfrin, K. & van Heeringen, C. (2010), "The effects of mindfulness-based cognitive therapy on recurrence of depressive episodes, mental health and quality of life: a randomized controlled study", *Behaviour Research & Therapy*, doi:10.1016/j.brat.2010.04.006.

19. Kuyken, W., *et al.* (2008), "Mindfulness-Based Cognitive Therapy to Prevent Relapse in Recurrent Depression", *Journal of Consulting and Clinical Psychology*, 76, pp. 966-978.

20. Weissbecker, I., Salmon, P., Studts, J. L., Floyd, A. R., Dedert, E. A. & Sephton, S. E. (2002), "Mindfulness-Based Stress Reduction and Sense of Coherence Among Women with Fibromyalgia", *Journal of Clinical Psychology in Medical Settings*, 9, pp. 297-307; Dobkin, P. L. (2008), "Mindfulness-based stress reduction: What processes are at work?", *Complementary Therapies in Clinical Practice*, 14, pp. 8-16.

CAPÍTULO CINCO

1. Você pode verificar esse experimento em vídeo em http://viscog.beckman.illinois.edu/flashmovie/12.php, ou outro semelhante no YouTube: http://www.youtube.com/watch?v=yqwmnzhgB80.

2. Kabat-Zinn, J., *Full Catastrophe Living: Using the Wisdom of Your Body and Mind to Face Stress, Pain and Illness* (Piatkus, 1990); Santorelli, S., *Heal Thy Self: Lessons on Mindfulness in Medicine* (Three Rivers Press, 2000); Williams, J. M. G., Teasdale, J. D., Segal, Z. V. & Kabat-Zinn, J., *The Mindful Way Through Depression: Freeing Yourself from Chronic Unhappiness* (Guilford Press, 2007).

CAPÍTULO SEIS

1. Wells, G. L. & Petty, R. E. (1980), "The effects of head movements on persuasion", *Basic and Applied Social Psychology*, vol. 1, pp. 219-230.

2. T. S. Eliot, *Burnt Norton* em *Quatro quartetos* (Civilização brasileira, 1967).

3. Em nossos programas clínicos, usamos a Exploração do Corpo durando entre 30 e 45 minutos uma vez por dia. Ver Kabat-Zinn, J., *Full Catastrophe*

Living: Using the Wisdom of Your Body and Mind to Face Stress, Pain and Illness (Piatkus, 1990), pp. 92-93; Williams, J. M. G., Teasdale, J. D., Segal, Z. V. & Kabat-Zinn, J., *The Mindful Way Through Depression: Freeing Yourself from Chronic Unhappiness* (Guilford Press, 2007), pp. 104-106. Neste livro, oferecemos uma Exploração do Corpo de quinze minutos para você realizar duas vezes por dia.

4. De David Dewulf, *Mindfulness Workbook: Powerfully and mildly living in the present, by permission.* Ver http://www.mbsr.be/Resources.html.

CAPÍTULO SETE

1. Douglas Adams, *O guia do mochileiro das galáxias* (Arqueiro, 2009).

2. Friedman, R. S. & Forster, J. (2001), "The effects of promotion and prevention cues on creativity", *Journal of Personality and Social Psychology*, 81, pp. 1.001-1.013.

3. Steve Jobs discursando na Universidade Stanford em junho de 2005. Ver http://www.ted.com/talks/steve_jobs_how_to_live_before_you_die.html.

4. Se quiser, você pode continuar com a Exploração do Corpo uma vez ao dia além dessas práticas da semana três. As meditações do Movimento Atento e Sentada se baseiam em: Kabat-Zinn, J., *Full Catastrophe Living: Using the Wisdom of Your Body and Mind to Face Stress, Pain and Illness* (Piatkus, 1990) - ver também www.mindfulnessCDs.com - e Williams, J. M. G., Teasdale, J. D., Segal, Z. V. & Kabat-Zinn, J., *The Mindful Way Through Depression: Freeing Yourself from Chronic Unhappiness* (Guilford Press, 2007). A Meditação do Espaço de Respiração de três minutos é de Segal, Z. V., Williams, J. M. G. & Teasdale, J. D., *Mindfulness-based Cognitive Therapy for Depression: a new approach to preventing relapse* (Guilford Press, 2002), p. 174 e Williams, J. M. G., Teasdale, J. D., Segal, Z. V. & Kabat-Zinn, J., *The Mindful Way Through Depression: Freeing Yourself from Chronic Unhappiness* (Guilford Press, 2007), pp. 183-184.

5. Ver Vidyamala Burch, *Living Well with Pain and Illness*, Capítulo 8 (Piatkus, 2008).

CAPÍTULO OITO

1. Segal, Z. V., Williams, J. M. G. & Teasdale, J. D., *Mindfulness-based Cognitive Therapy for Depression: a new approach to preventing relapse* (Guilford Press, 2002).

2. Allport, G. W. & Postman, L., *The Psychology of Rumor* (Holt & Co., 1948).

3. Para "paisagem sonora" ver Kabat-Zinn, J., *Coming to our Senses: Healing Ourselves and the World Through Mindfulness* (Piatkus, 2005), pp. 205-210. A Meditação de Sons e Pensamentos se baseia em Kabat-Zinn, J., *Full Catastrophe Living: Using the Wisdom of Your Body and Mind to Face Stress, Pain and Illness* (Piatkus, 1990) e Williams, J. M. G, Teasdale, J. D; Segal, Z. V. & Kabat-Zinn, J., *The Mindful Way Through Depression: Freeing Yourself from Chronic Unhappiness* (Guilford Press, 2007).

4. Adaptado de Segal, Z. V., Williams, J. M. G. & Teasdale, J. D., *Mindfulness-based Cognitive Therapy for Depression: a new approach to preventing relapse* (Guilford Press, 2002).

CAPÍTULO NOVE

1. Rosenbaum, Elana, *Here for Now: living well with cancer through mindfulness*, pp. 95ss (Hardwick, Satya House Publications, 2007).

2. *Ibid.* p. 99.

3. Segal, Z. V., Williams, J. M. G. & Teasdale, J. D., *Mindfulness-based Cognitive Therapy for Depression: a new approach to preventing relapse* (Guilford Press, 2002).

4. Barnhofer, T., Duggan, D., Crane, C., Hepburn, S., Fennell, M. & Williams, J. M. G. (2007), "Effects of meditation on frontal alpha asymmetry in previously suicidal patients", *Neuroreport*, 18, pp. 707-712.

5. Way, B. M., Creswell, J. D., Eisenberger, N. I. & Lieberman, M. D. (2010), "Dispositional Mindfulness and Depressive Symptomatology: Correlations

with Limbic and Self-Referential Neural Activity during Rest", *Emotion*, 10, pp. 12-24.

6. Rodin, J. & Langer, E. (1977), "Long-term effects of a control - relevant intervention among the institutionalised aged", *Journal of Personality and Social Psychology*, 35, pp. 275-282.

7. Rosenbaum, Elana, *Here for Now: living well with cancer through mindfulness*, p. 12 (Hardwick, Satya House Publications, 2007).

CAPÍTULO DEZ

1. Para mais informações sobre o transtorno, ver http://www.rcpsych.ac.uk/mentalhealthinfo/problems/ptsd/posttraumaticstressdisorder.aspx.

2. Com base na pesquisa de Israel Orbach sobre sofrimento mental: Orbach, I., Mikulincer, M., Gilboa-Schechtman, E. & Sirota, P. (2003), "Mental pain and its relationship to suicidality and life meaning", *Suicide and Life-Threatening Behavior*, 33, pp. 231-241.

3. "Engajamento doloroso" refere-se ao sentimento de que suas metas são inalcançáveis, mas ao mesmo tempo você não consegue desistir de atingi-las, pois parece que sua felicidade depende delas. Ver MacLeod, A. K. & Conway, C. (2007), "Well-being and positive future thinking for the self versus others", *Cognition & Emotion*, 21(5), pp. 1.114-1.124; e Danchin, D. L., MacLeod, A. K. & Tata, P. (submetido), "Painful engagement in parasuicide: The role of conditional goal setting".

4. Para uma discussão ampla dessas ideias, ver Paul Gilbert, *The Compassionate Mind* (Constable, 2010).

5. Ver Williams, J. M. G., Barnhofer, T., Crane, C., Hermans, D., Raes, F., Watkins, E. & Dalgleish, T. (2007), "Autobiographical memory specificity and emotional disorder", *Psychological Bulletin*, 133, pp. 122-148.

6. Bryant, R. A., Sutherland, K. & Guthrie, R. M. (2007), "Impaired specific autobiographical memory as a risk factor for posttraumatic stress after trauma", *Journal of Abnormal Psychology*, 116, pp. 837-841.

7. Kleim, B. & Ehlers, A. (2008), "Reduced Autobiographical Memory Specificity Predicts Depression and Posttraumatic Stress Disorder After Recent Trauma", *Journal of Consulting and Clinical Psychology*, 76(2), pp. 231-242.

8. Williams, J. M. G., Teasdale, J. D., Segal, Z. V. & Soulsby, J. (2000), "Mindfulness-Based Cognitive Therapy reduces overgeneral autobiographical memory in formerly depressed patients", *Journal of Abnormal Psychology*, 109, pp. 150-155.

9. Adaptado de Baer, R. A., *et al.* (2006), "Using self-report assessment methods to explore facets of mindfulness", *Assessment*, 13, pp. 27-45. Usado com permissão do Dr. Baer e da Sage Publications.

10. Também chamada de Meditação da Bondade Carinhosa – mas "amizade" é uma tradução melhor da palavra páli (*Metta*) em que se baseia.

11. Singer, T., *et al.* (2004), "Empathy for Pain Involves the Affective but not Sensory Components of Pain", *Science*, 303, p. 1.157, doi:10.1126/science.1093535.

12. Barnhofer, T., Chittka, T., Nightingale, H., Visser, C. & Crane, C. (2010), "State Effects of Two Forms of Meditation on Prefrontal EEG Asymmetry in Previously Depressed Individuals", Mindfulness, 1(1), pp. 21-27.

13. Williams, J. M. G., Teasdale, J. D., Segal, Z. V. & Kabat-Zinn, J., *The Mindful Way Through Depression: Freeing Yourself from Chronic Unhappiness* (Guilford Press, 2007), p. 202.

14. A ideia de recuperar sua vida resulta diretamente das descobertas das pesquisas de Anke Ehlers e colegas mostrando como tendemos a pressupor que tudo é irreversivelmente mudado pelo trauma: Kleim, B. & Ehlers, A. (2008), "Reduced Autobiographical Memory Specificity Predicts Depression and Posttraumatic Stress Disorder After Recent Trauma", *Journal of Consulting and Clinical Psychology*, 76(2), pp. 231-242.

15. Ver www.bookcrossing.com.

16. Carta de Einstein a Norman Salit em 4 de março de 1950.

CAPÍTULO ONZE

1. Segal, Z. V., Williams, J. M. G. & Teasdale, J. D., *Mindfulness-based Cognitive Therapy for Depression: a new approach to preventing relapse* (Guilford Press, 2002), pp. 269-287.

2. Observe que os pesquisadores do sono recomendam que qualquer soneca durante o dia não deve exceder trinta minutos, senão corremos o risco de adormecer tão profundamente que nos sentimos aturdidos ao acordar.

3. Esta seção vem de Segal, Z. V., Williams, J. M. G. & Teasdale, J. D., *Mindfulness--based Cognitive Therapy for Depression: a new approach to preventing relapse* (Guilford Press, 2002), pp. 286-287.

CAPÍTULO DOZE

1. Recontado de uma história de Youngey Mingpur Rinpoche, *Joyful Wisdom: Embracing Change and Finding Freedom* (Harmony, 2009).

2. Jon Kabat-Zinn, "Meditation" em Bill Moyers (org.), *Healing and the Mind*, pp. 115-144 (Broadway Books, 1995).

3. Adaptado de *Mindfulness for Chronic Fatigue* (inédito) de Christina Surawy, Oxford Mindfulness Centre.

4. Às vezes a poesia capta a alma de uma ideia mais do que qualquer número de explicações. Este poema, de Roger Keyes, inspirou-se em seus muitos anos despendidos estudando as pinturas do artista japonês Katsushika Hokusai (1760-1849), famoso por *A Grande Onda na costa de Kanagawa*, e por pintar até uma idade avançada. Somos gratos pela permissão de Roger Keyes para reproduzi-lo aqui.

AGRADECIMENTOS

Este livro não teria sido escrito sem a ajuda e o apoio de várias pessoas. Somos imensamente gratos a Sheila Crowley da Curtis Brown e a Anne Lawrance e sua equipe na Piatkus.

Mark é grato ao Wellcome Trust, não apenas pelo generoso apoio financeiro à pesquisa que sustentou e estendeu a compreensão da atenção plena, mas também pelo encorajamento para levar esse trabalho fora do mundo acadêmico.

Somos também gratos aos vários outros indivíduos que ajudaram nesse projeto: Guinevere Webster, Gerry Byrne e os participantes do curso de treinamento de Boundary Brook em Oxford; Catherine Crane, Danielle Duggan, Thorsten Barnhofer, Melanie Fennell, Wendy Swift e outros membros do Oxford Mindfulness Centre (um Centro que permanece um testemunho ao seu fundador Geoffrey Bamford); Melanie Fennell e Phyllis Williams, que deram muitas sugestões criteriosas a uma redação preliminar do texto; Ferris Buck Urbanowski, Antonia Sumbundu e John Peacock em cuja sabedoria Mark continua se inspirando; John Teasdale e Zindel Segal, desenvolvedores conjuntos da terapia cognitiva com base na atenção plena e amigos próximos há tantos anos; e Jon Kabat-Zinn, não apenas por sua inspiração original para esta obra e sua generosidade em compartilhá-la conosco, mas também por seu encorajamento constante para levarmos sua sabedoria forte e compassiva a um mundo frenético.

Muitas das ideias neste livro e as palavras em que estão expressas advêm da colaboração estreita por duas décadas entre Mark e Jon Kabat-Zinn, e entre Zindel Segal e John Teasdale. Somos imensamente gratos por sua generosidade em permitir que compartilhássemos essas ideias mais uma vez neste livro com pessoas que não conhecem a atenção plena, e com aquelas que desejam renovar sua prática.

Danny gostaria também de agradecer a Pat Field, da Neston County Comprehensive School, por ter a coragem e presciência de ensinar meditação a um grupo de adolescentes hostis (incluindo ele). No início da década de 1980, aquele foi um passo educacional radical que transformou muitas vidas. Ele é especialmente grato a Pippa Stallworthy por sua ajuda e orientação.

Finalmente, ambos somos extremamente gratos as nossas famílias, especialmente as nossas esposas, Phyllis e Bella, por seu apoio carinhoso por meio das preocupações com os desafios inevitáveis da redação do livro.